초등 수학 전문가가 만든 연산 교재

원리셈

2

3학년

(두/세 자리 수)×(한 자리 수)

교과 과정 완벽 대비
수학 전문가가 만든 연산 교재
다양한 형태의 문제로 재미있게 연습하는 원리셈

지은이의 말

수학은 원리로부터

수학은 구체물의 관계를 숫자와 기호의 약속으로 나타내는 추상적인 학문입니다. 이 점이 아이들이 수학을 어려워하는 가장 큰 이유입니다. 이러한 수학은 제대로 된 이해를 동반할 때 비로소 힘을 발휘할 수 있습니다. 수학은 어느 단계에서나 원리가 가장 중요합니다.

수학 교육의 변화

답을 내는 방법만 알아도 되는 수학 교육의 시대는 지나고 있습니다. 연산도 한 가지 방법만 반복 연습하기 보다 다양한 풀이 방법이 중요합니다. 교과서는 왜 그렇게 해야 하는지 가르쳐 주고 다양한 방법을 생각하도록 하지만, 학생들은 단순하게 반복되는 연습에 원리는 잊어버리고 기계적으로 답을 내다보니 응용된 내용의 이해가 부족합니다.

연산 학습은 꾸준히

유초등 학습 단계에 따라 4권~6권의 구성으로 매일 10분씩 꾸준히 공부할 수 있습니다. 원리와 다양한 방법의 학습은 그림과 함께 재미있게, 연습은 다양하게 진행하되 마무리는 집중하여 진행하도록 했습니다. 부담 없는 하루 학습량으로 꾸준히 공부하다 보면 어느새 연산 실력이 부쩍 늘어난 것을 알 수 있습니다.

개정판 원리셈은

동영상 강의 확대/초등 고학년 원리 학습 과정 강화 등으로 교과 과정을 완벽하게 대비할 수 있도록 원리와 개념, 계산 방법을 학습합니다. 단계별 원리 학습은 물론이고 연습도 강화했습니다.

학부모님들의 연산 학습에 대한 고민이 원리셈으로 해결되었으면 하는 바람입니다.

지은이 천종현

원리셈의 특징

원리셈의 학습 구성

한 권의 책은 매일 10분 / 매주 5일 / 6주 학습

원리셈의 시나브로 강해지는 학습 알고리즘

초등 원리셈은

시작은 원리의 이해로부터, 마무리는 충분한 연습과 성취도 확인까지

체계적인 학습 구성

쉽게 이해하고 스스로 공부!
실수가 많은 부분은 별도로 확인하고 연습!
주제에 따라 실전을 위한 확장적 사고가 필요한 내용까지!
원리로 시작되는 단계별 학습으로 곱셈구구마저 저절로 외워진다고 느끼도록!

원리셈 전체 단계

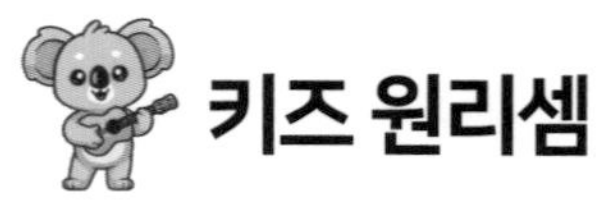

키즈 원리셈

5·6세	
1권	5까지의 수
2권	10까지의 수
3권	10까지의 수 세어 쓰기
4권	모아 세기
5권	빼어 세기
6권	크기 비교와 여러 가지 세기

6·7세	
1권	10까지의 더하기 빼기 1
2권	10까지의 더하기 빼기 2
3권	10까지의 더하기 빼기 3
4권	20까지의 더하기 빼기 1
5권	20까지의 더하기 빼기 2
6권	20까지의 더하기 빼기 3

7·8세	
1권	7까지의 모으기와 가르기
2권	9까지의 모으기와 가르기
3권	덧셈과 뺄셈
4권	10 가르기와 모으기
5권	10 만들어 더하기
6권	10 만들어 빼기

초등 원리셈

1학년	
1권	받아올림/내림 없는 두 자리 수 덧셈, 뺄셈
2권	덧셈구구
3권	뺄셈구구
4권	□ 구하기
5권	세 수의 덧셈과 뺄셈
6권	(두 자리 수)±(한 자리 수)

2학년	
1권	두 자리 수 덧셈
2권	두 자리 수 뺄셈
3권	세 수의 덧셈과 뺄셈
4권	곱셈
5권	곱셈구구
6권	나눗셈

3학년	
1권	세 자리 수의 덧셈과 뺄셈
2권	(두/세 자리 수)×(한 자리 수)
3권	(두/세 자리 수)×(두 자리 수)
4권	(두/세 자리 수)÷(한 자리 수)
5권	곱셈과 나눗셈의 관계
6권	분수

4학년	
1권	큰 수의 곱셈
2권	큰 수의 나눗셈
3권	분모가 같은 분수의 덧셈과 뺄셈
4권	소수의 덧셈과 뺄셈

5학년	
1권	혼합 계산
2권	약수와 배수
3권	분모가 다른 분수의 덧셈과 뺄셈
4권	분수와 소수의 곱셈

6학년	
1권	분수의 나눗셈
2권	소수의 나눗셈
3권	비와 비율
4권	비례식과 비례배분

초등 원리셈의 단계별 학습 목표

원리와 연습을 모두 잡는 원리셈!!

학년별 학습 목표와 다른 책에서는 만나기 힘든 특별한 내용을 확인해 보세요.

1학년 원리셈

모든 연산 과정 중 실수가 가장 많은 덧셈, 뺄셈의 집중 연습
여러 가지 계산 방법 알기
덧셈, 뺄셈의 관계를 이용한 '□ 구하기'의 이해

2학년 원리셈

두 자리 덧셈, 뺄셈의 여러 가지 계산 방법의 숙지와 이해
곱셈 개념을 폭넓게 이해하고, 곱셈구구를 힘들지 않게 외울 수 있는 구성
나눗셈은 3학년 교과의 내용이지만 곱셈구구를 외우는 것을 도우면서 곱셈구구의 범위에서 개념 위주 학습

3학년 원리셈

기본 연산은 정확한 이해와 충분한 연습
곱셈, 나눗셈의 관계를 이용한 '□ 구하기'의 이해
분수는 학생들이 어려워 하는 부분을 중점적으로 이해하고, 연습하도록 구성

4학년 원리셈

작은 수의 곱셈, 나눗셈 방법을 확장하여 이해하는 큰 수의 곱셈, 나눗셈
교과서에는 나오지 않는 실전적 연산을 포함
많이 틀리는 내용은 별도 집중학습

5학년 원리셈

연산은 개념과 유형에 따라 단계적으로 학습 후 충분한 연습
약수와 배수는 기본기를 단단하게 할 수 있는 체계적인 구성

6학년 원리셈

분수와 소수의 나눗셈은 원리를 단순화하여 이해
비의 개념을 확장하여 문장제 문제 등에서 만나는 비례 관계의 이해와 적용
비와 비례식은 중등 수학을 대비하는 의미도 포함. 강추 교재!!

3학년 구성과 특징

1권은 큰 수의 덧셈과 뺄셈을 2권~4권은 자리를 구분하여 곱셈과 나눗셈을 공부합니다. 5권은 곱셈과 나눗셈의 관계를 통해 검산과 모르는 수를 구하는 방법을 배웁니다. 6권의 분수는 학생들이 가장 어려움을 느끼는 부분을 집중 연습하도록 했습니다.

원리

수 모형, 동전 등을 이용하여 원리를 직관적으로 이해하고 쉽게 공부할 수 있도록 하였습니다.

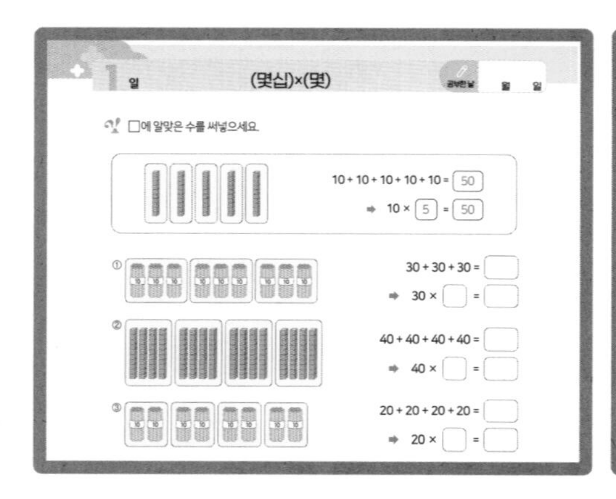

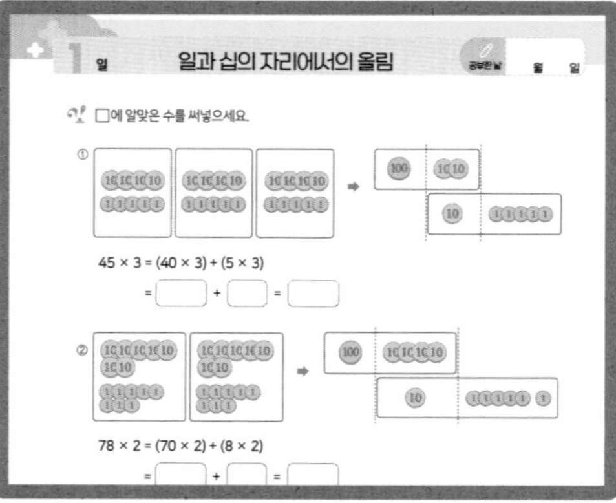

다양한 계산 방법

다양한 계산 방법을 공부함으로써 수를 다루는 감각을 키우고, 상황에 따라 더 정확하고 빠른 계산을 할 수 있도록 하였습니다.

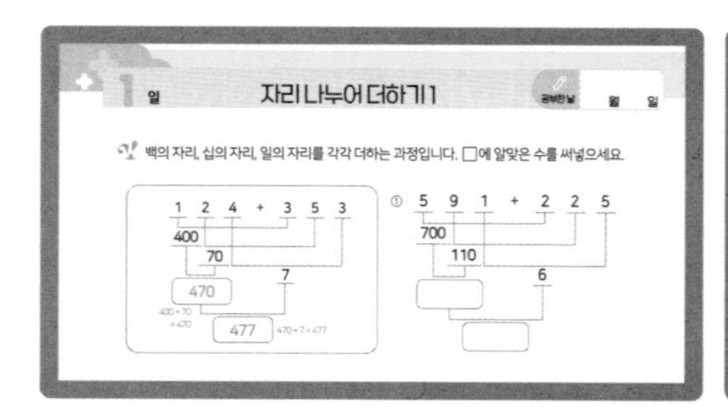

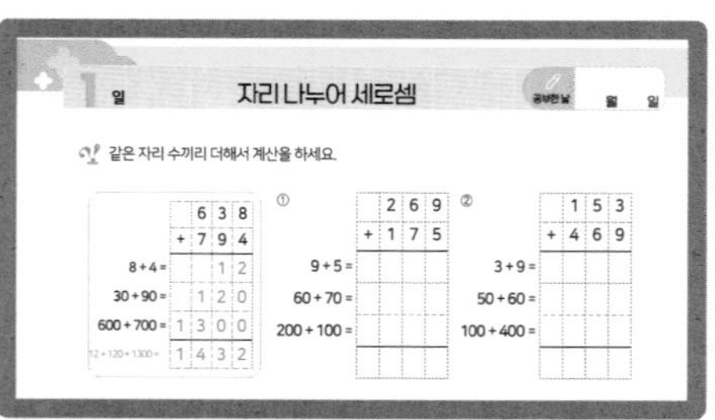

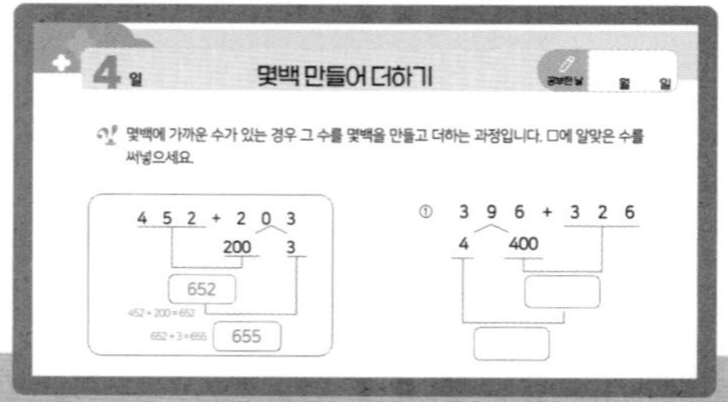

연습

기본 연습 문제를 중심으로 여러 형태의 문제로 지루하지 않게 반복하여 연습할 수 있도록 구성하였습니다.

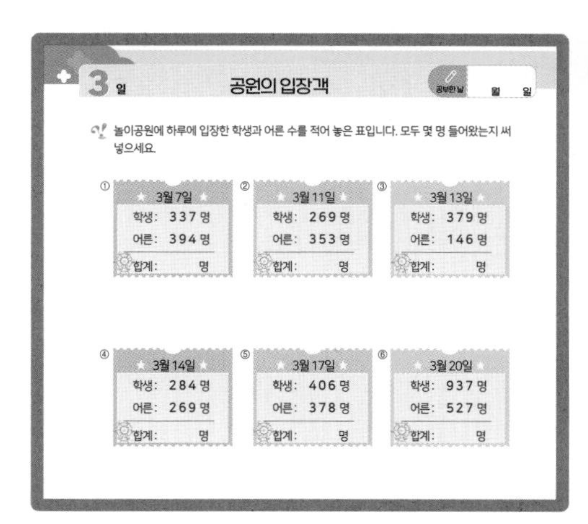

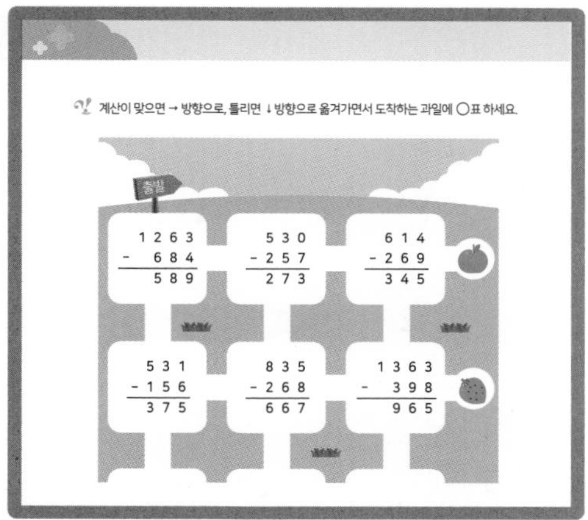

도전! 계산왕

주제가 구분되는 두 개의 단원은 정확성과 빠른 계산을 위한 집중 연습으로 주제를 마무리 합니다.

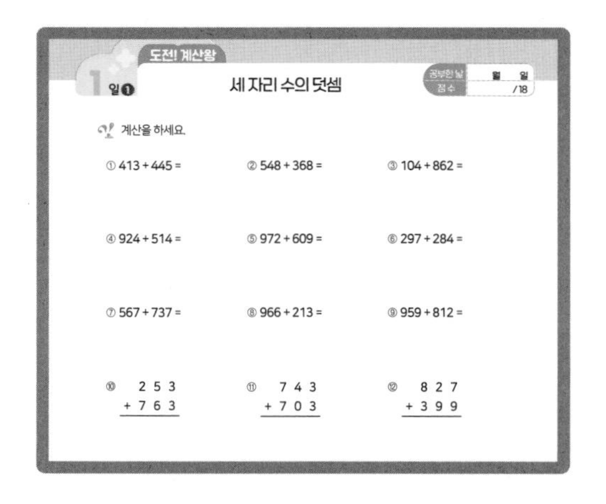

성취도 평가

개념의 이해와 연산의 수행에 부족한 부분은 없는지 성취도 평가를 통해 확인합니다.

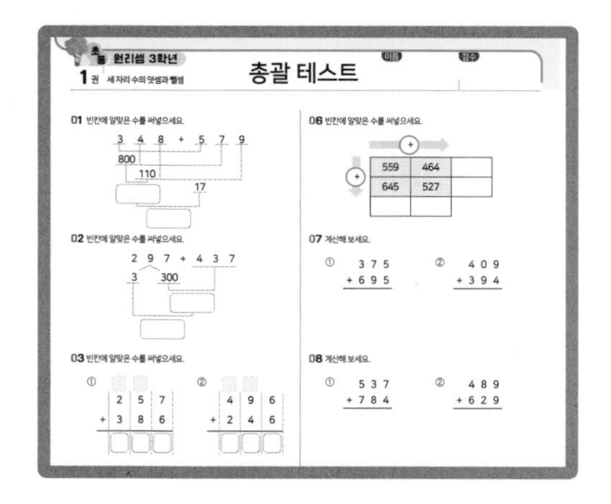

책의 사이사이에 학생의 학습을 돕기 위한 저자의 내용을 잘 이용하세요.

단원의 학습 내용과 방향

한 주차가 시작되는 쪽의 아래에 그 단원의 학습 내용과 어떤 방향으로 공부하는지를 설명해 놓았습니다.
학부모님이나 학생이 단원을 시작하기 전에 가볍게 읽어 보고 공부하도록 해 주세요.

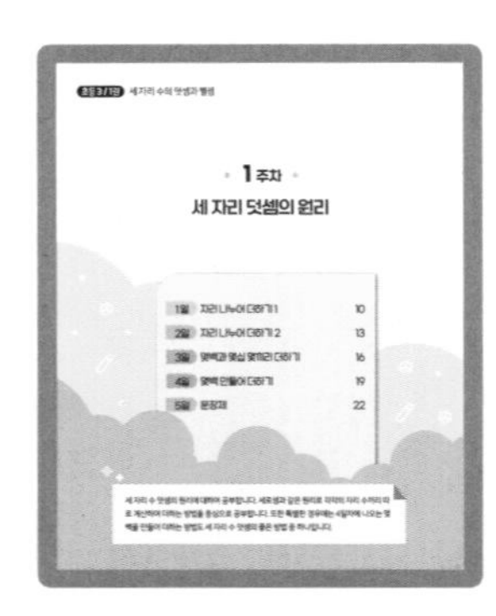

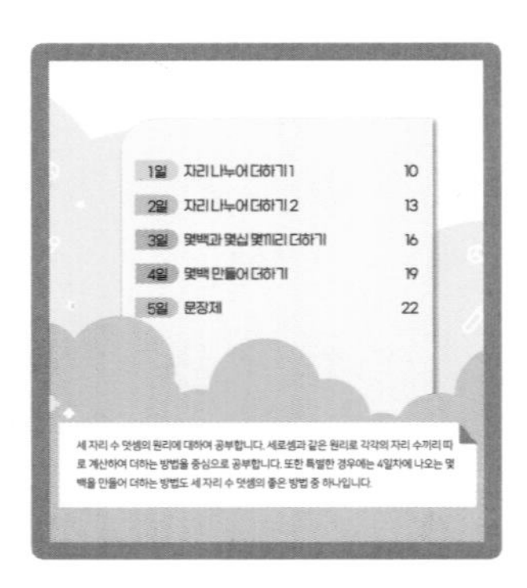

이해를 돕는 저자의 동영상 강의

처음 접하는 원리/개념과 연산 방법의 이해를 돕기 위한 동영상 강의가 있으니 이해가 어려운 내용은 QR코드를 이용하여 편리하게 동영상 강의를 보고, 공부하도록 하세요.

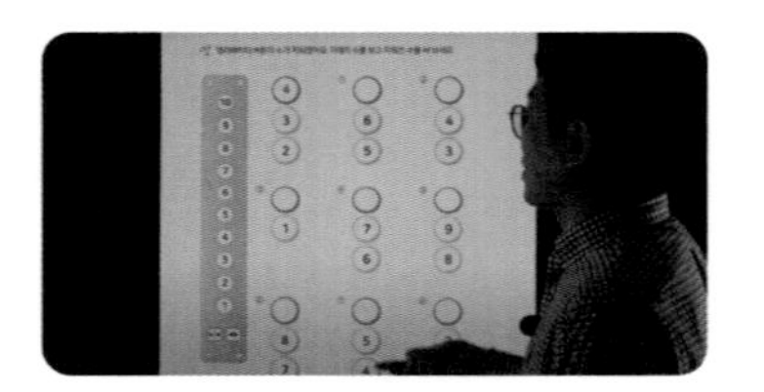

학습 Tip

간략한 도움글은 각 쪽의 아래에 있습니다.

천종현수학연구소 네이버 카페와 홈페이지를 활용하세요.

카페와 홈페이지에는 추가 문제 자료가 있고, 연산 외에서 수학 학습에 어려움을 상담 받을 수 있습니다.

네이버에서 천종현수학연구소를 검색하세요.

1 주차

올림이 없거나 한 번 있는 곱셈

올림이 없거나 한 번 있는 (두 자리 수)×(한 자리 수)를 가로셈 위주로 공부합니다. 꼭 세로셈으로 계산할 필요는 없지만 큰 수의 곱셈은 세로셈으로 계산해야 하고 이 단원이 기본 개념이 되기 때문에 원리를 정확하게 알고 확실하게 연습하는 것이 중요합니다.

(몇십)×(몇)

공부한 날 월 일

□에 알맞은 수를 써넣으세요.

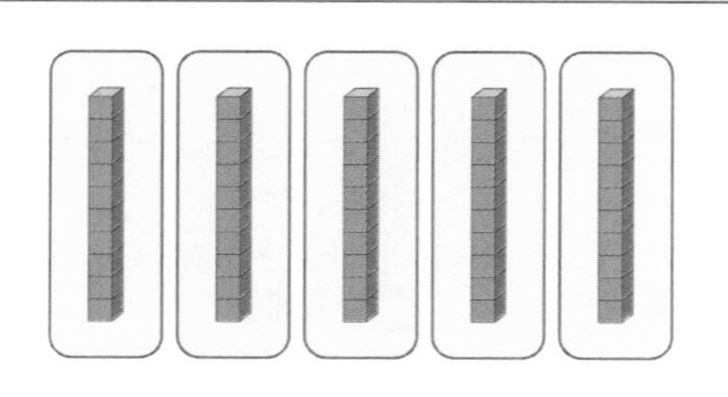

$10 + 10 + 10 + 10 + 10 = \boxed{50}$

➡ $10 \times \boxed{5} = \boxed{50}$

①

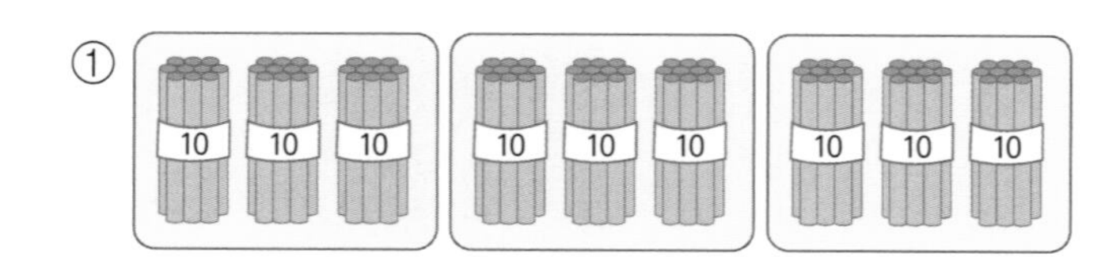

$30 + 30 + 30 = \square$

➡ $30 \times \square = \square$

②

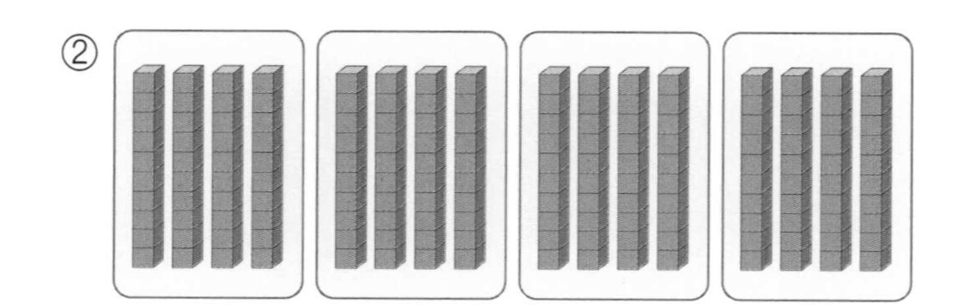

$40 + 40 + 40 + 40 = \square$

➡ $40 \times \square = \square$

③

$20 + 20 + 20 + 20 = \square$

➡ $20 \times \square = \square$

④

$70 + 70 = \square$

➡ $70 \times \square = \square$

⑤

$40 + 40 = \square$

➡ $40 \times \square = \square$

덧셈식을 곱셈식으로 나타내고 값을 구하세요.

① $30 + 30 + 30 = \square$

➡ $30 \times \square = \square$

② $40 + 40 + 40 + 40 = \square$

➡ $40 \times \square = \square$

③ $70 + 70 + 70 = \square$

➡ $70 \times \square = \square$

④ $80 + 80 + 80 + 80 = \square$

➡ $80 \times \square = \square$

⑤ $90 + 90 = \square$

➡ $90 \times \square = \square$

⑥ $50 + 50 + 50 + 50 = \square$

➡ $50 \times \square = \square$

⑦ $60 + 60 + 60 + 60 + 60 + 60 = \square$

➡ $60 \times \square = \square$

⑧ $20 + 20 + 20 + 20 + 20 + 20 + 20 = \square$

➡ $20 \times \square = \square$

⑨ $30 + 30 + 30 + 30 + 30 + 30 + 30 + 30 = \square$

➡ $30 \times \square = \square$

계산을 하세요.

$30 \times 3 = 90$, $3 \times 3 = 9$

$60 \times 4 = 240$, $6 \times 4 = 24$

(몇십)×(몇)은 (몇)×(몇)의 값에 0을 붙입니다.

① $20 \times 4 =$

② $30 \times 8 =$

③ $40 \times 3 =$

④ $90 \times 3 =$

⑤ $10 \times 4 =$

⑥ $60 \times 8 =$

⑦ $30 \times 2 =$

⑧ $20 \times 9 =$

⑨ $50 \times 7 =$

⑩ $40 \times 3 =$

⑪ $20 \times 2 =$

⑫ $60 \times 4 =$

⑬ $30 \times 5 =$

⑭ $70 \times 4 =$

(몇십몇)×(몇)

월 일

□에 알맞은 수를 써넣으세요.

$14 \times 2 = (\boxed{10} \times 2) + (\boxed{4} \times 2)$

$= \boxed{28}$

①

$21 \times 4 = (\square \times 4) + (\square \times 4)$

$= \square$

②

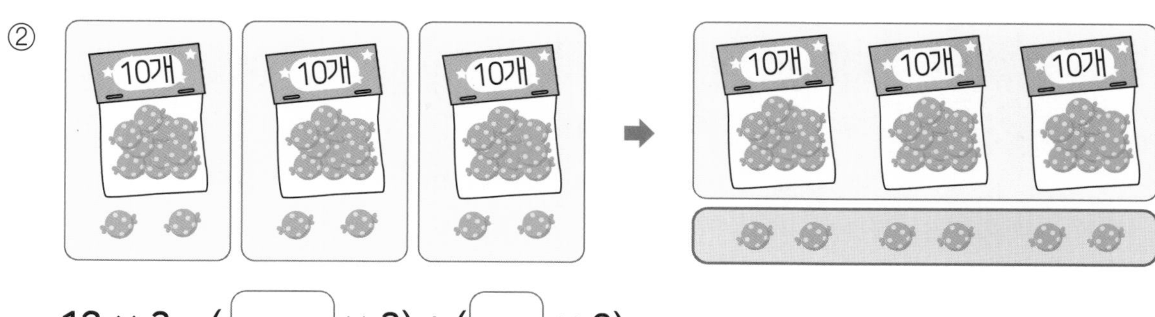

$12 \times 3 = (\square \times 3) + (\square \times 3)$

$= \square$

□에 알맞은 수를 써넣으세요.

① $43 \times 2 = (\square \times 2) + (\square \times 2)$

$= \square$

② $11 \times 7 = (\square \times 7) + (\square \times 7)$

$= \square$

③ $13 \times 3 = (\square \times 3) + (\square \times 3)$

$= \square$

④ $23 \times 3 = (\square \times 3) + (\square \times 3)$

$= \square$

⑤ $34 \times 2 = (\square \times 2) + (\square \times 2)$

$= \square$

⑥ $21 \times 4 = (\square \times 4) + (\square \times 4)$

$= \square$

계산을 하세요.

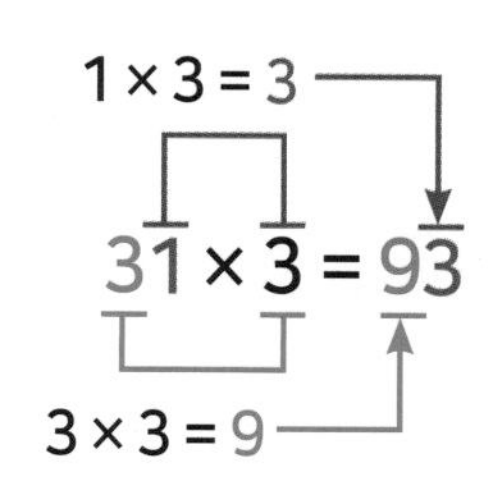

곱해지는 수의 십의 자리 숫자 3과 일의 자리 숫자 1에 각각 곱하는 수 3을 곱합니다.

① 14 × 2 =

② 22 × 4 =

③ 31 × 2 =

④ 41 × 2 =

⑤ 21 × 2 =

⑥ 33 × 3 =

⑦ 23 × 3 =

⑧ 11 × 9 =

⑨ 12 × 4 =

⑩ 21 × 4 =

⑪ 32 × 3 =

⑫ 13 × 3 =

⑬ 23 × 2 =

⑭ 22 × 3 =

십의 자리에서의 올림

□에 알맞은 수를 써넣으세요.

①

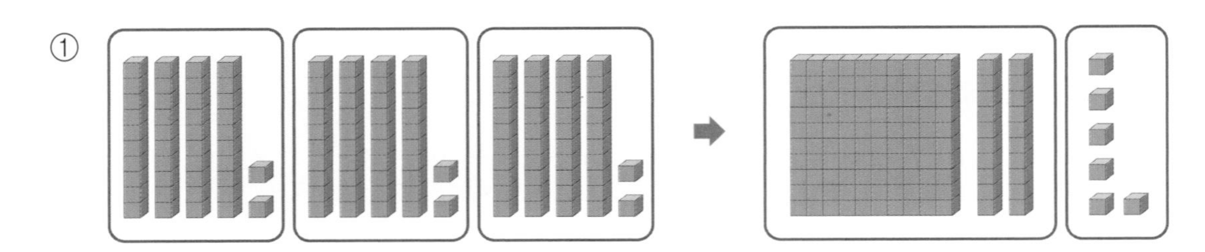

$42 \times 3 = (40 \times 3) + (2 \times 3)$

$= \square + \square = \square$

②

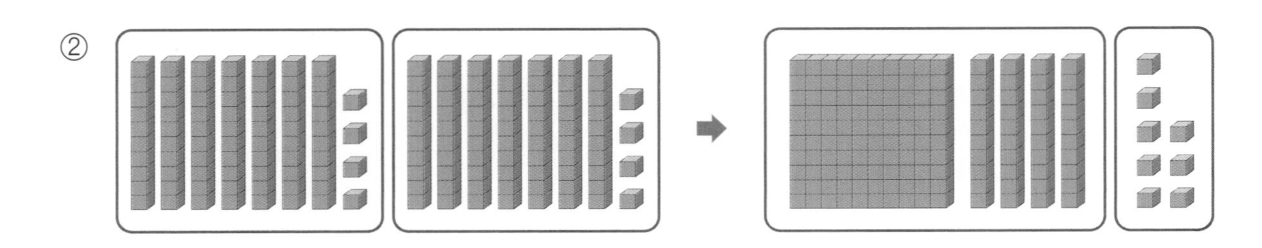

$74 \times 2 = (70 \times 2) + (4 \times 2)$

$= \square + \square = \square$

③

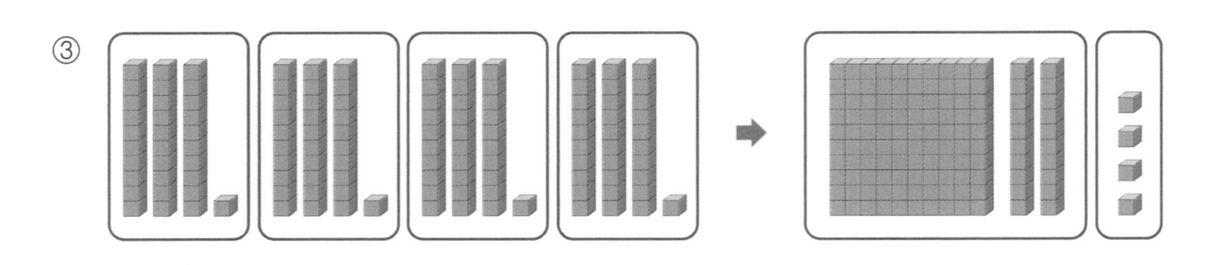

$31 \times 4 = (30 \times 4) + (1 \times 4)$

$= \square + \square = \square$

□에 알맞은 수를 써넣으세요.

31×6 — $30 \times 6 =$ [180], $1 \times 6 =$ [6] → [186]

①

53×3 — $50 \times 3 =$ □, $3 \times 3 =$ □ → □

②

71×7 — $70 \times 7 =$ □, $1 \times 7 =$ □ → □

③

94×2 — $90 \times 2 =$ □, $4 \times 2 =$ □ → □

④

62×4 — $60 \times 4 =$ □, $2 \times 4 =$ □ → □

⑤

42×3 — $40 \times 3 =$ □, $2 \times 3 =$ □ → □

계산을 하세요.

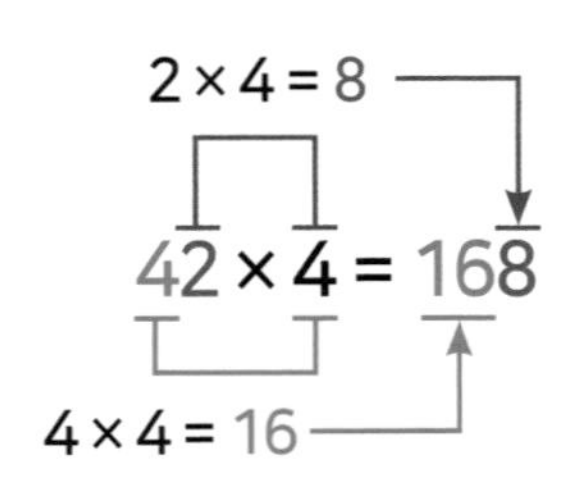

곱해지는 수의 십의 자리 숫자 4와 일의 자리 숫자 2에 각각 곱하는 수 4를 곱합니다.

① 52 × 3 =

② 61 × 7 =

③ 43 × 3 =

④ 21 × 9 =

⑤ 32 × 4 =

⑥ 83 × 2 =

⑦ 63 × 3 =

⑧ 51 × 8 =

⑨ 42 × 3 =

⑩ 93 × 2 =

⑪ 42 × 4 =

⑫ 53 × 3 =

⑬ 82 × 3 =

⑭ 52 × 4 =

일의 자리에서의 올림

공부한 날 월 일

□에 알맞은 수를 써넣으세요.

①

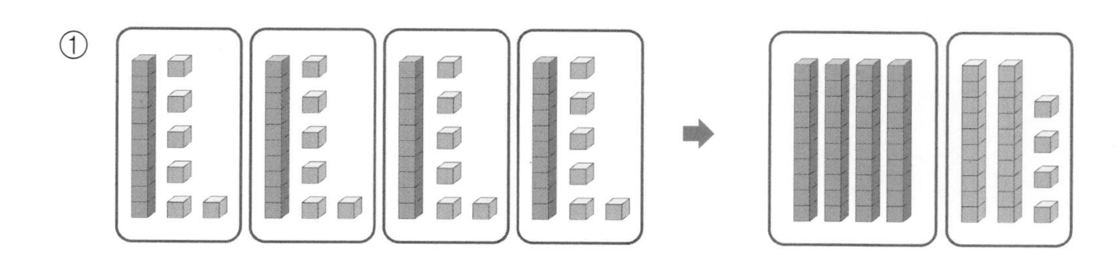

$16 \times 4 = (10 \times 4) + (6 \times 4)$

$= \square + \square = \square$

②

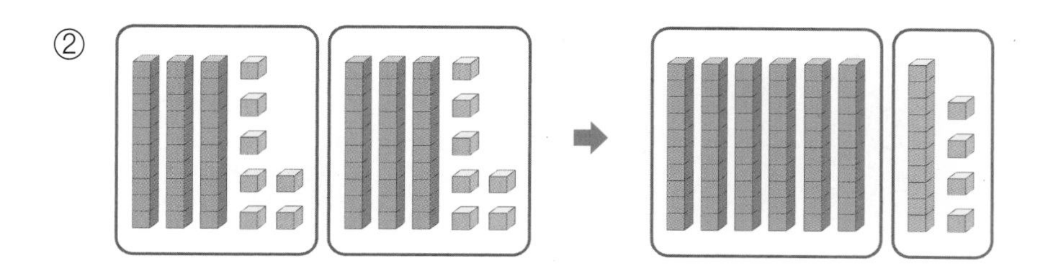

$37 \times 2 = (30 \times 2) + (7 \times 2)$

$= \square + \square = \square$

③

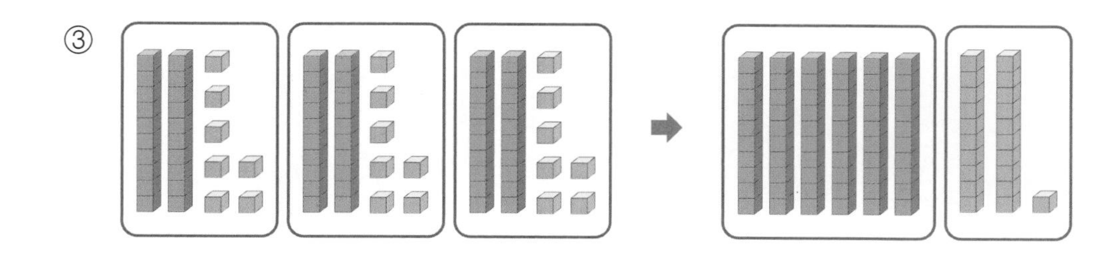

$27 \times 3 = (20 \times 3) + (7 \times 3)$

$= \square + \square = \square$

□에 알맞은 수를 써넣으세요.

①

25×3 — $20 \times 3 = \square$, $5 \times 3 = \square$ — $\square$

②

16×4 — $10 \times 4 = \square$, $6 \times 4 = \square$ — $\square$

③

29×3 — $20 \times 3 = \square$, $9 \times 3 = \square$ — $\square$

④

38×2 — $30 \times 2 = \square$, $8 \times 2 = \square$ — $\square$

⑤

16×6 — $10 \times 6 = \square$, $6 \times 6 = \square$ — $\square$

⑥

37×3 — $30 \times 3 = \square$, $7 \times 3 = \square$ — $\square$

계산을 하세요.

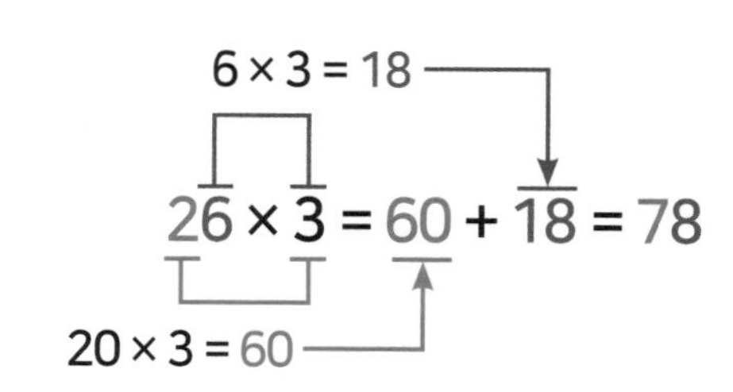

곱해지는 수 26을 20과 6으로 나누어 각각 곱하는 수 3을 곱한 후 두 곱을 더합니다.

① $27 \times 3 =$

② $39 \times 2 =$

③ $15 \times 4 =$

④ $45 \times 2 =$

⑤ $36 \times 2 =$

⑥ $24 \times 3 =$

⑦ $18 \times 4 =$

⑧ $12 \times 7 =$

⑨ $25 \times 3 =$

⑩ $47 \times 2 =$

⑪ $16 \times 6 =$

⑫ $27 \times 2 =$

⑬ $46 \times 2 =$

⑭ $19 \times 5 =$

□에 알맞은 수를 써넣으세요.

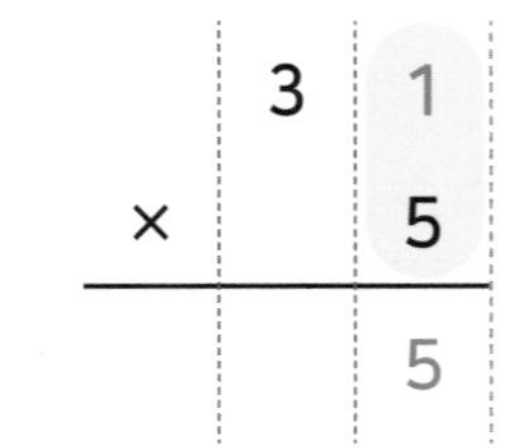

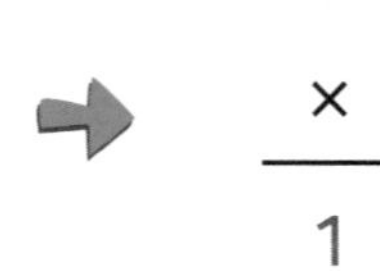

$$\begin{array}{r} 31 \\ \times\ \ 5 \\ \hline 5 \end{array} \rightarrow \begin{array}{r} 31 \\ \times\ \ 5 \\ \hline 155 \end{array}$$

1×5=5이므로 일의 자리에 5를 씁니다.
3×5=15이므로 백의 자리와 십의 자리에 15를 씁니다.

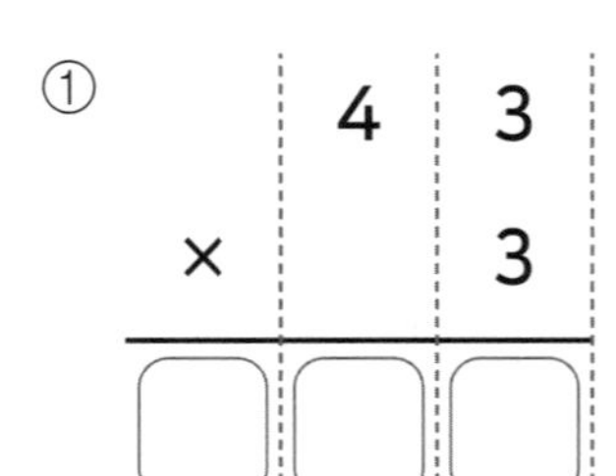

① $\begin{array}{r} 43 \\ \times\ \ 3 \\ \hline \square\square\square \end{array}$

② $\begin{array}{r} 51 \\ \times\ \ 7 \\ \hline \square\square\square \end{array}$

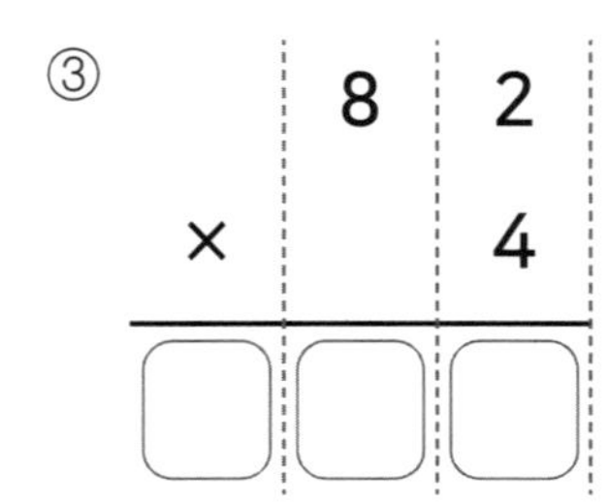

③ $\begin{array}{r} 82 \\ \times\ \ 4 \\ \hline \square\square\square \end{array}$

④ $\begin{array}{r} 62 \\ \times\ \ 4 \\ \hline \square\square\square \end{array}$

⑤ $\begin{array}{r} 71 \\ \times\ \ 5 \\ \hline \square\square\square \end{array}$

⑥ $\begin{array}{r} 43 \\ \times\ \ 3 \\ \hline \square\square\square \end{array}$

⑦ $\begin{array}{r} 81 \\ \times\ \ 7 \\ \hline \square\square\square \end{array}$

⑧ $\begin{array}{r} 62 \\ \times\ \ 4 \\ \hline \square\square\square \end{array}$

⑨ $\begin{array}{r} 94 \\ \times\ \ 2 \\ \hline \square\square\square \end{array}$

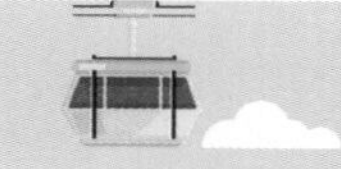

□에 알맞은 수를 써넣으세요.

$$\begin{array}{r} {}^{1}\\ 2\;6 \\ \times\;\;\;3 \\ \hline 8 \end{array} \rightarrow \begin{array}{r} {}^{1}\;\;\;\\ 2\;6 \\ \times\;\;\;3 \\ \hline 7\;8 \end{array}$$

6×3=18이므로 십의 자리에 올림한 1을 작게 쓰고 일의 자리에 8을 씁니다.
2×3=6이므로 올림한 숫자 1을 더하여 십의 자리에 7을 씁니다.

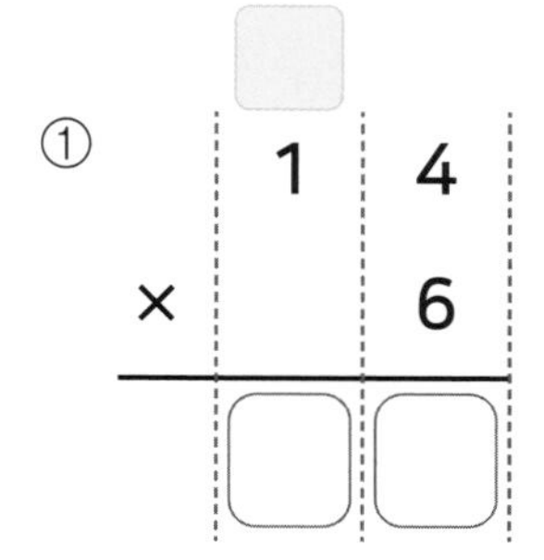

① $\begin{array}{r} 1\;4 \\ \times\;\;\;6 \\ \hline \square\;\square \end{array}$

② $\begin{array}{r} 2\;7 \\ \times\;\;\;3 \\ \hline \square\;\square \end{array}$

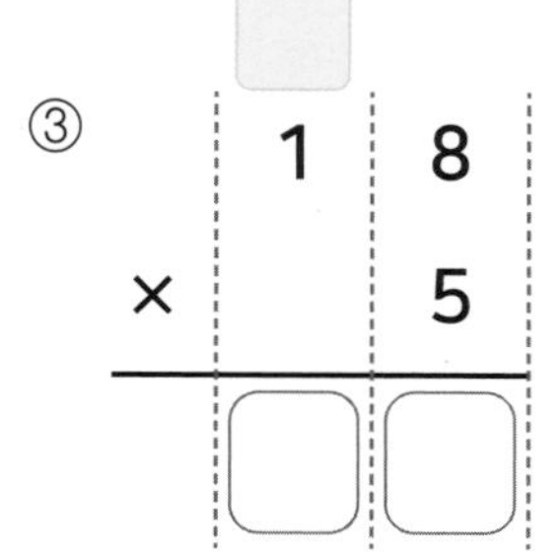

③ $\begin{array}{r} 1\;8 \\ \times\;\;\;5 \\ \hline \square\;\square \end{array}$

④ $\begin{array}{r} 1\;9 \\ \times\;\;\;4 \\ \hline \square\;\square \end{array}$

⑤ $\begin{array}{r} 2\;8 \\ \times\;\;\;3 \\ \hline \square\;\square \end{array}$

⑥ $\begin{array}{r} 3\;7 \\ \times\;\;\;2 \\ \hline \square\;\square \end{array}$

⑦ $\begin{array}{r} 4\;9 \\ \times\;\;\;2 \\ \hline \square\;\square \end{array}$

⑧ $\begin{array}{r} 1\;7 \\ \times\;\;\;5 \\ \hline \square\;\square \end{array}$

⑨ $\begin{array}{r} 2\;4 \\ \times\;\;\;4 \\ \hline \square\;\square \end{array}$

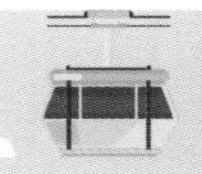

세로셈으로 계산하세요.

① $\begin{array}{r} 81 \\ \times \quad 5 \\ \hline \end{array}$

② $\begin{array}{r} 38 \\ \times \quad 2 \\ \hline \end{array}$

③ $\begin{array}{r} 21 \\ \times \quad 7 \\ \hline \end{array}$

④ $\begin{array}{r} 27 \\ \times \quad 3 \\ \hline \end{array}$

⑤ $\begin{array}{r} 24 \\ \times \quad 4 \\ \hline \end{array}$

⑥ $\begin{array}{r} 16 \\ \times \quad 6 \\ \hline \end{array}$

⑦ $\begin{array}{r} 62 \\ \times \quad 4 \\ \hline \end{array}$

⑧ $\begin{array}{r} 18 \\ \times \quad 3 \\ \hline \end{array}$

⑨ $\begin{array}{r} 72 \\ \times \quad 3 \\ \hline \end{array}$

⑩ $\begin{array}{r} 19 \\ \times \quad 3 \\ \hline \end{array}$

⑪ $\begin{array}{r} 25 \\ \times \quad 3 \\ \hline \end{array}$

⑫ $\begin{array}{r} 23 \\ \times \quad 4 \\ \hline \end{array}$

⑬ $\begin{array}{r} 17 \\ \times \quad 4 \\ \hline \end{array}$

⑭ $\begin{array}{r} 31 \\ \times \quad 9 \\ \hline \end{array}$

⑮ $\begin{array}{r} 29 \\ \times \quad 3 \\ \hline \end{array}$

⑯ $\begin{array}{r} 15 \\ \times \quad 5 \\ \hline \end{array}$

2주차

올림이 두 번 있는 곱셈

일의 자리, 십의 자리에서 모두 올림이 있는 (두 자리 수) × (한 자리 수)를 공부합니다. 원리를 정확하게 알고 속도와 정확도를 높이기 위해 세로셈을 충분히 연습합니다.

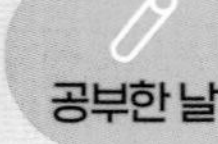

월 일

□에 알맞은 수를 써넣으세요.

①

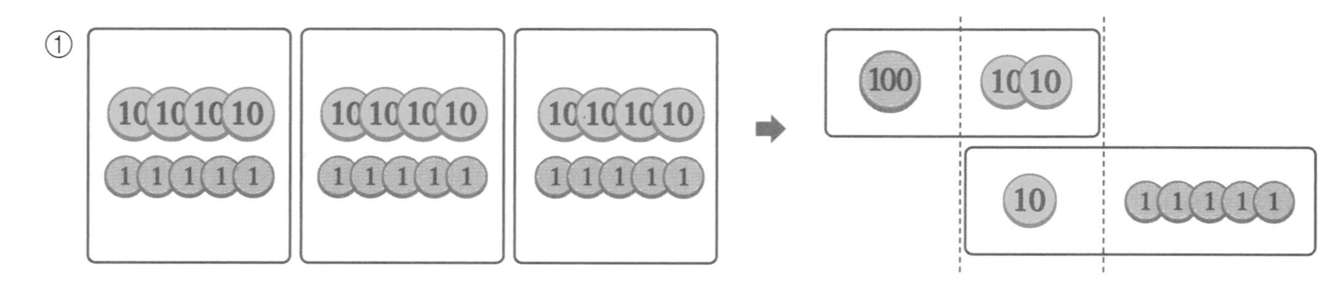

$45 \times 3 = (40 \times 3) + (5 \times 3)$

$= \square + \square = \square$

②

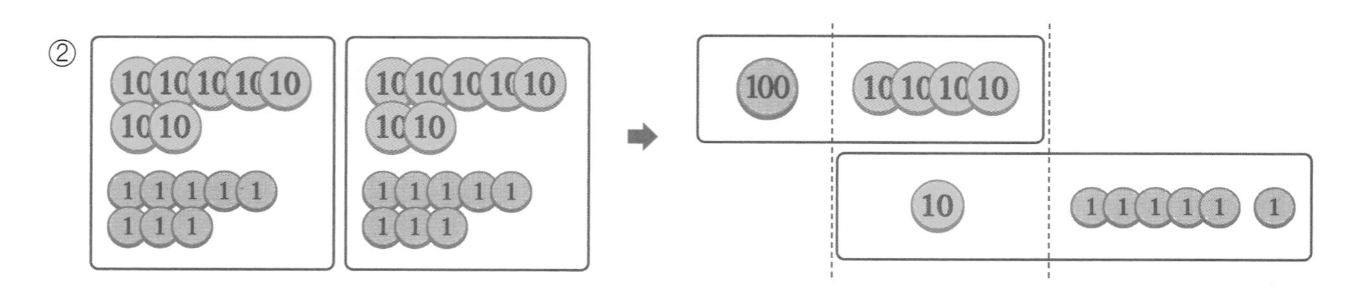

$78 \times 2 = (70 \times 2) + (8 \times 2)$

$= \square + \square = \square$

③

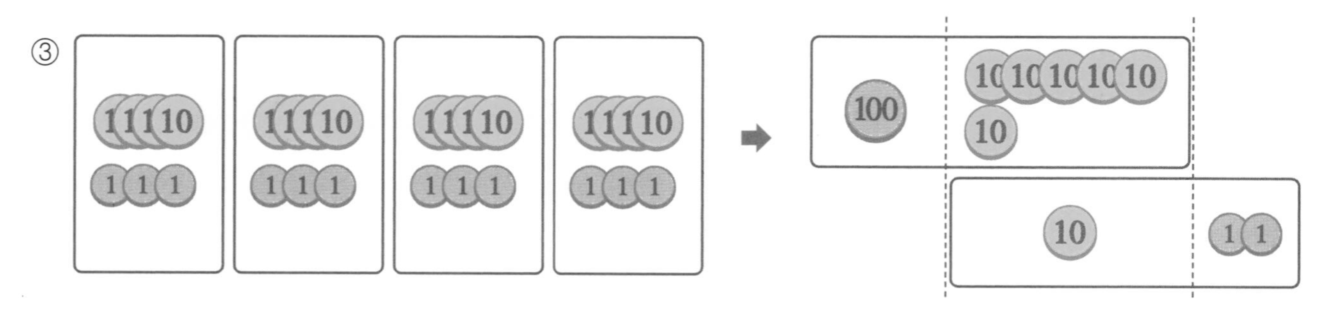

$43 \times 4 = (40 \times 4) + (3 \times 4)$

$= \square + \square = \square$

□에 알맞은 수를 써넣으세요.

① 58×4 — $50 \times 4 =$ □, $8 \times 4 =$ □ — □

② 27×5 — $20 \times 5 =$ □, $7 \times 5 =$ □ — □

③ 19×8 — $10 \times 8 =$ □, $9 \times 8 =$ □ — □

④ 48×4 — $40 \times 4 =$ □, $8 \times 4 =$ □ — □

⑤ 67×3 — $60 \times 3 =$ □, $7 \times 3 =$ □ — □

⑥ 36×6 — $30 \times 6 =$ □, $6 \times 6 =$ □ — □

계산을 하세요.

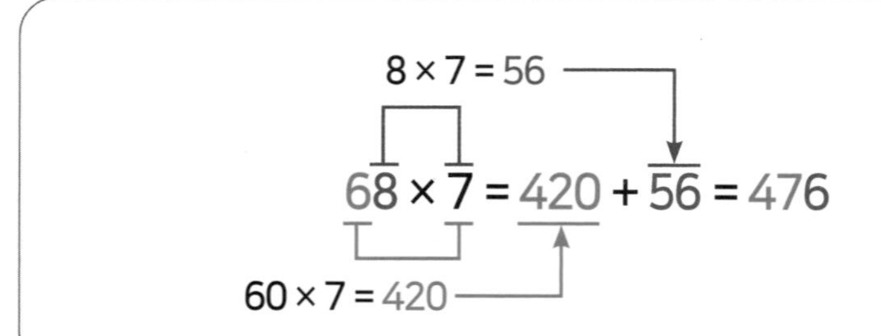

곱해지는 수 68을 60과 8로 나누어 각각 곱하는 수 7을 곱한 후 두 곱을 더합니다.

① 34 × 6 =

② 68 × 3 =

③ 45 × 8 =

④ 27 × 6 =

⑤ 37 × 6 =

⑥ 18 × 8 =

⑦ 23 × 5 =

⑧ 73 × 8 =

⑨ 44 × 6 =

⑩ 39 × 4 =

⑪ 53 × 4 =

⑫ 35 × 7 =

⑬ 29 × 8 =

⑭ 86 × 7 =

세로셈1

□에 알맞은 수를 써넣으세요.

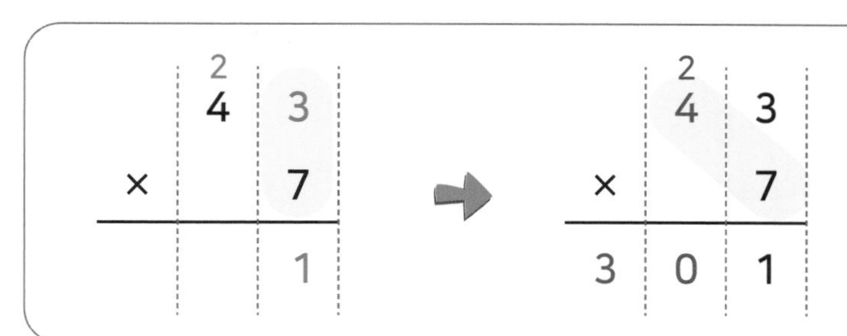

3×7=21이므로 십의 자리에 올림한 2를 작게 쓰고 일의 자리에 1을 씁니다.
4×7=28이므로 올림한 숫자 2를 더하여 백의 자리와 십의 자리에 30을 씁니다.

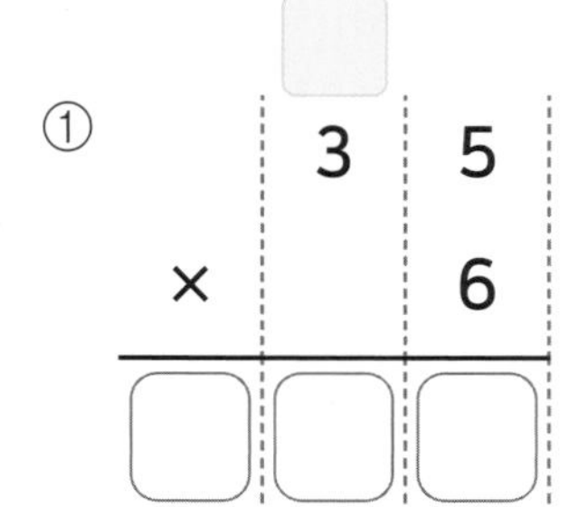

② 48 × 3

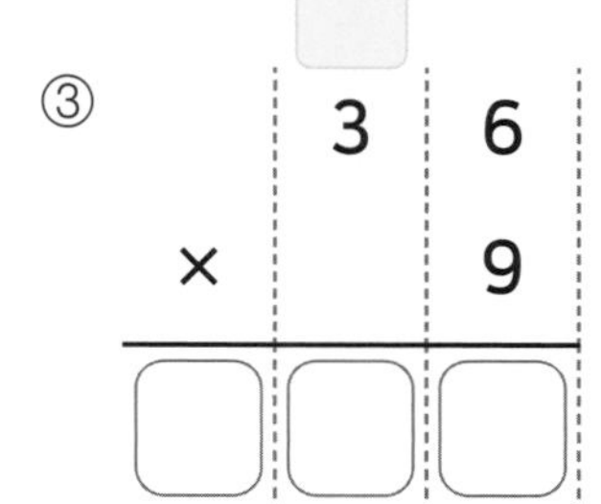

④ 45 × 3

⑤ 27 × 5

⑥ 39 × 4

⑦ 65 × 3

⑧ 44 × 6

⑨ 93 × 7

□에 알맞은 수를 써넣으세요.

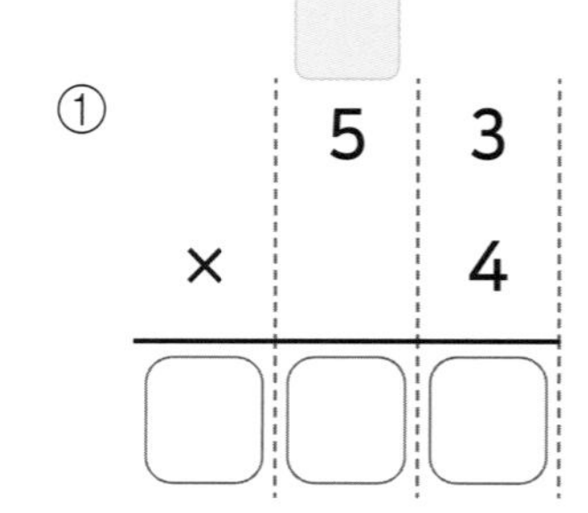

② 87×2

③ 74×7

④ 56×9

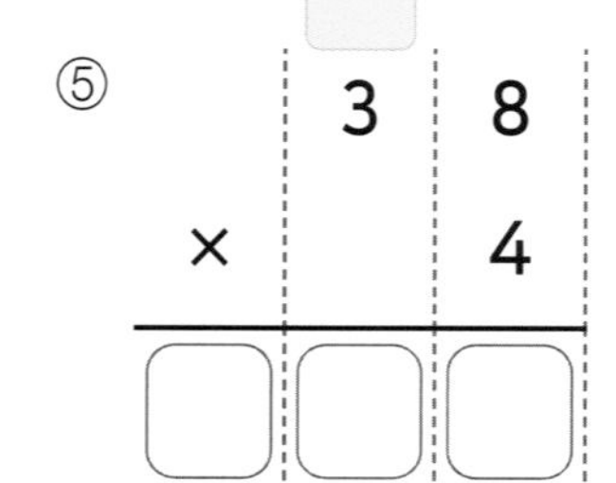

⑥ 14×7

⑦ 88×8

⑧ 35×4

⑨ 65×9

⑩ 39×4

⑪ 26×9

⑫ 71×9

세로셈으로 계산하세요.

①
$$\begin{array}{r} 63 \\ \times \quad 4 \\ \hline \end{array}$$

②
$$\begin{array}{r} 55 \\ \times \quad 7 \\ \hline \end{array}$$

③
$$\begin{array}{r} 48 \\ \times \quad 8 \\ \hline \end{array}$$

④
$$\begin{array}{r} 37 \\ \times \quad 8 \\ \hline \end{array}$$

⑤
$$\begin{array}{r} 27 \\ \times \quad 6 \\ \hline \end{array}$$

⑥
$$\begin{array}{r} 53 \\ \times \quad 5 \\ \hline \end{array}$$

⑦
$$\begin{array}{r} 84 \\ \times \quad 5 \\ \hline \end{array}$$

⑧
$$\begin{array}{r} 69 \\ \times \quad 5 \\ \hline \end{array}$$

⑨
$$\begin{array}{r} 76 \\ \times \quad 2 \\ \hline \end{array}$$

⑩
$$\begin{array}{r} 39 \\ \times \quad 9 \\ \hline \end{array}$$

⑪
$$\begin{array}{r} 26 \\ \times \quad 4 \\ \hline \end{array}$$

⑫
$$\begin{array}{r} 54 \\ \times \quad 8 \\ \hline \end{array}$$

⑬
$$\begin{array}{r} 57 \\ \times \quad 4 \\ \hline \end{array}$$

⑭
$$\begin{array}{r} 33 \\ \times \quad 4 \\ \hline \end{array}$$

⑮
$$\begin{array}{r} 63 \\ \times \quad 6 \\ \hline \end{array}$$

⑯
$$\begin{array}{r} 96 \\ \times \quad 7 \\ \hline \end{array}$$

세로셈 2

□에 알맞은 수를 써넣으세요.

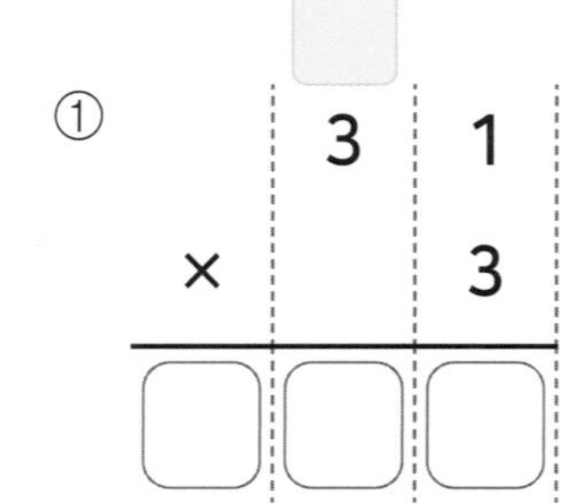

① $\begin{array}{r} 31 \\ \times \quad 3 \\ \hline \square\square\square \end{array}$

② $\begin{array}{r} 27 \\ \times \quad 2 \\ \hline \square\square\square \end{array}$

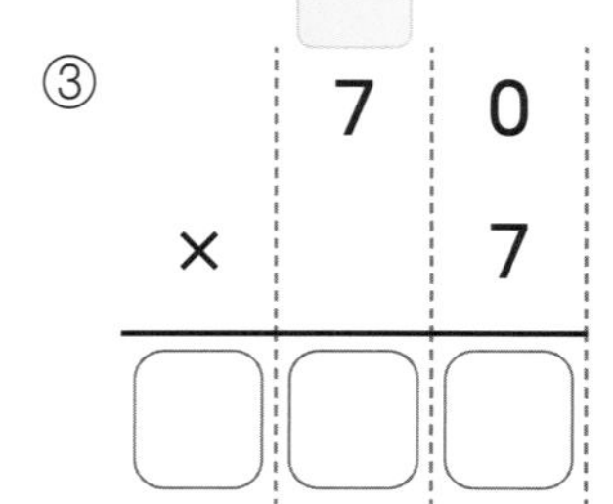

③ $\begin{array}{r} 70 \\ \times \quad 7 \\ \hline \square\square\square \end{array}$

④ $\begin{array}{r} 17 \\ \times \quad 7 \\ \hline \square\square\square \end{array}$

⑤ $\begin{array}{r} 84 \\ \times \quad 6 \\ \hline \square\square\square \end{array}$

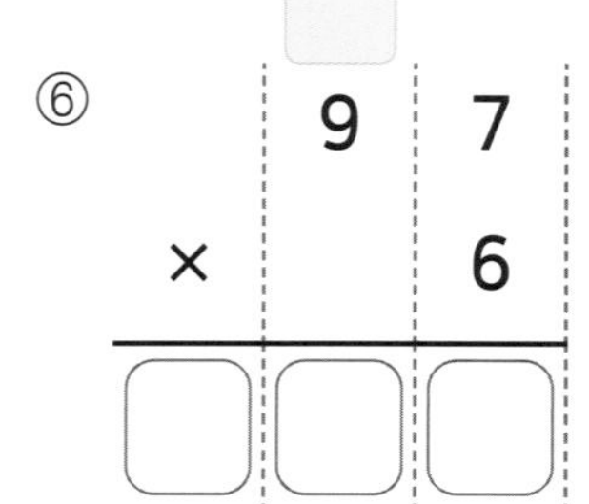

⑥ $\begin{array}{r} 97 \\ \times \quad 6 \\ \hline \square\square\square \end{array}$

⑦ $\begin{array}{r} 22 \\ \times \quad 9 \\ \hline \square\square\square \end{array}$

⑧ $\begin{array}{r} 37 \\ \times \quad 4 \\ \hline \square\square\square \end{array}$

⑨ $\begin{array}{r} 48 \\ \times \quad 7 \\ \hline \square\square\square \end{array}$

⑩ $\begin{array}{r} 54 \\ \times \quad 6 \\ \hline \square\square\square \end{array}$

⑪ $\begin{array}{r} 73 \\ \times \quad 9 \\ \hline \square\square\square \end{array}$

⑫ $\begin{array}{r} 41 \\ \times \quad 6 \\ \hline \square\square\square \end{array}$

□에 알맞은 수를 써넣으세요.

① 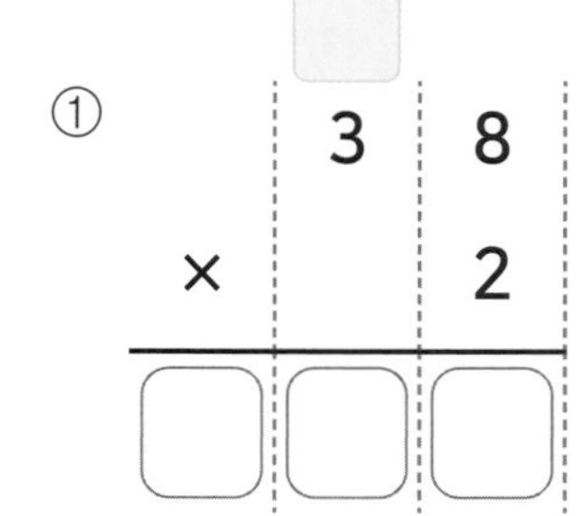

② 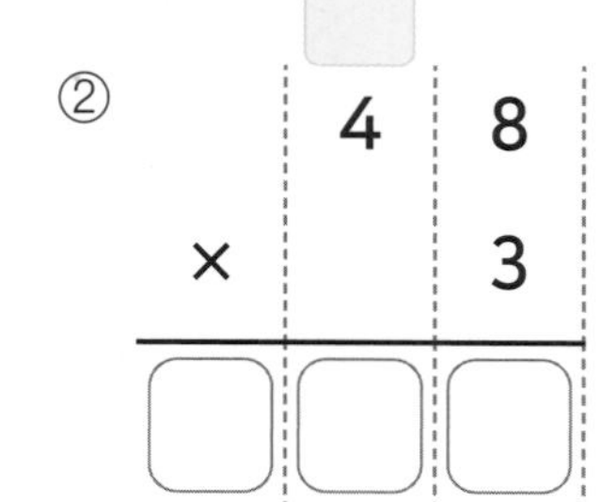

③ 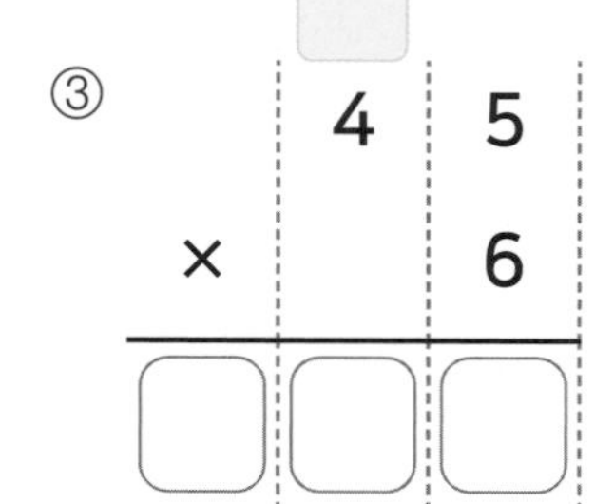

④ 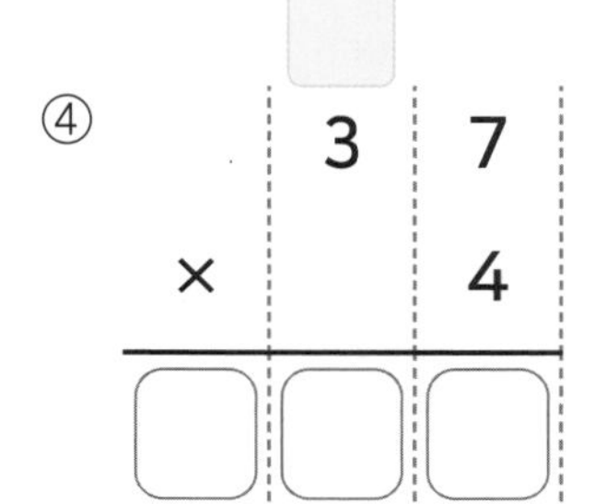

⑤ $53 \times 9 = \square\square\square$

⑥ $80 \times 7 = \square\square\square$

⑦ $23 \times 8 = \square\square\square$

⑧ $53 \times 7 = \square\square\square$

⑨ $77 \times 6 = \square\square\square$

⑩ $97 \times 4 = \square\square\square$

⑪ $34 \times 6 = \square\square\square$

⑫ $78 \times 7 = \square\square\square$

두 수를 곱하여 빈 곳에 써넣으세요.

①

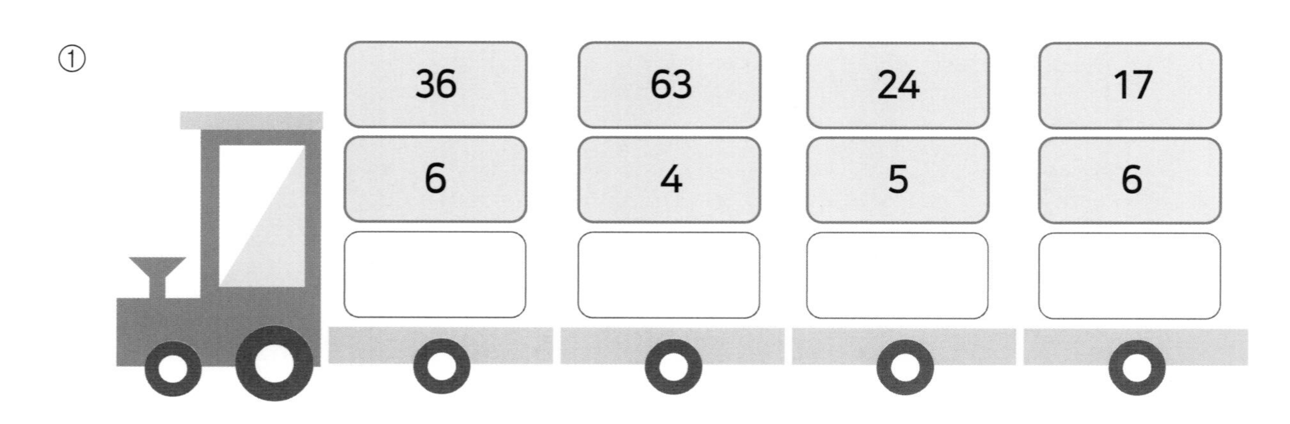

②

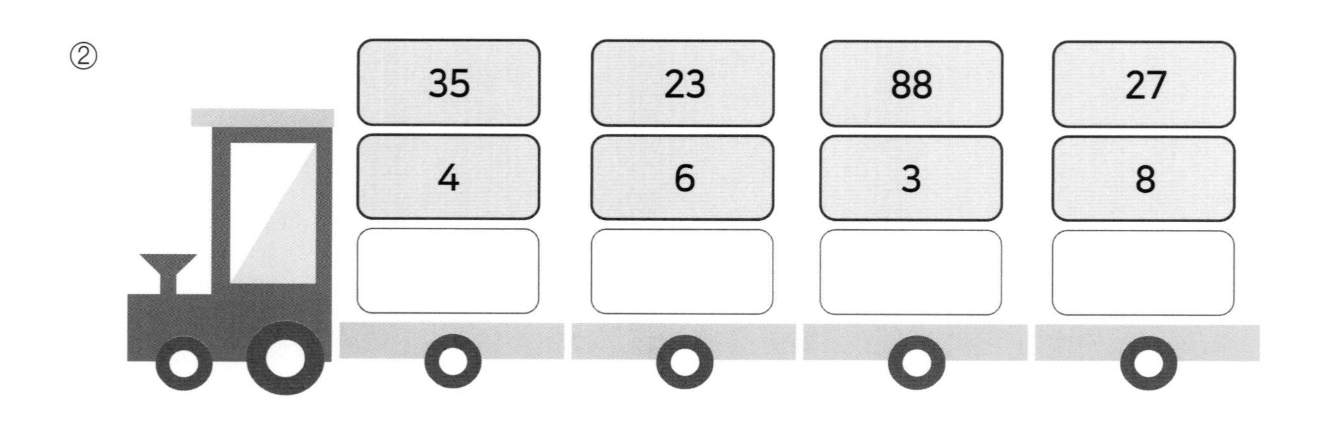

③

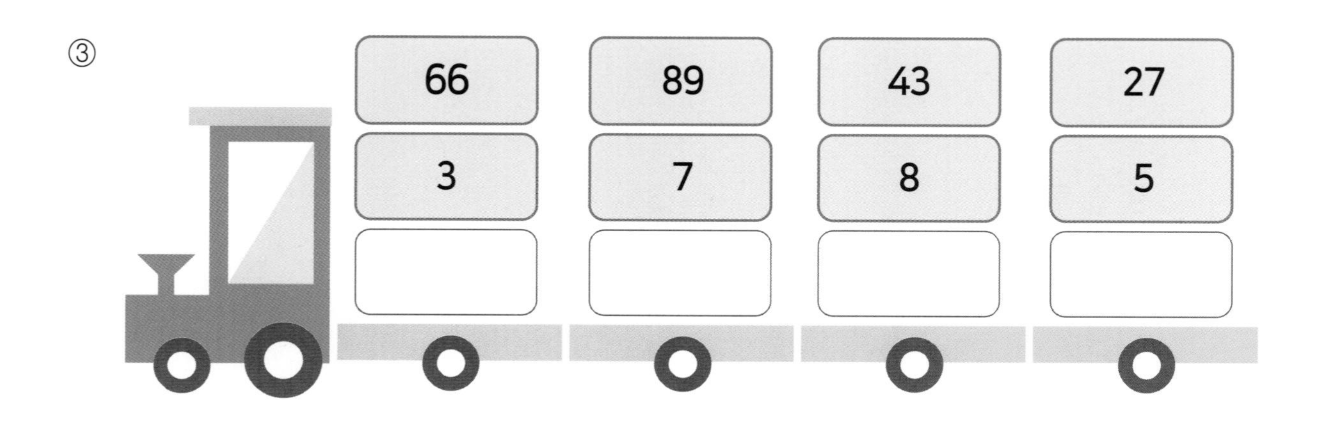

세 수의 곱셈

공부한 날 월 일

□에 알맞은 수를 써넣으세요.

$5 \times 3 \times 4 = \boxed{15} \times 4 = \boxed{60}$

앞에서부터 차례대로 곱합니다.

① $6 \times 4 \times 7 = \square \times 7$
$= \square$

② $3 \times 9 \times 7 = \square \times 7$
$= \square$

③ $2 \times 7 \times 8 = \square \times 8$
$= \square$

④ $4 \times 5 \times 8 = \square \times 8$
$= \square$

⑤ $9 \times 4 \times 5 = \square \times 5$
$= \square$

⑥ $8 \times 8 \times 6 = \square \times 6$
$= \square$

⑦ $5 \times 9 \times 5 = \square \times 5$
$= \square$

⑧ $6 \times 7 \times 4 = \square \times 4$
$= \square$

곱하는 세 수 중에서 5와 짝수가 있으면 몇십을 만들어 더 쉽게 계산할 수 있습니다. 세 수의 곱셈을 계산하세요.

$5 \times 3 \times 6 = 90$

$5 \times 6 = 30$ $30 \times 3 = 90$

① $4 \times 7 \times 5 =$

② $9 \times 2 \times 5 =$

③ $5 \times 7 \times 8 =$

④ $5 \times 6 \times 2 =$

⑤ $4 \times 9 \times 5 =$

⑥ $3 \times 8 \times 5 =$

⑦ $3 \times 4 \times 5 =$

⑧ $5 \times 7 \times 6 =$

⑨ $2 \times 8 \times 5 =$

⑩ $5 \times 5 \times 4 =$

⑪ $7 \times 4 \times 5 =$

⑫ $3 \times 5 \times 6 =$

⑬ $5 \times 2 \times 9 =$

⑭ $8 \times 4 \times 5 =$

⑮ $7 \times 2 \times 5 =$

쌓기나무 전체의 개수를 구하세요.

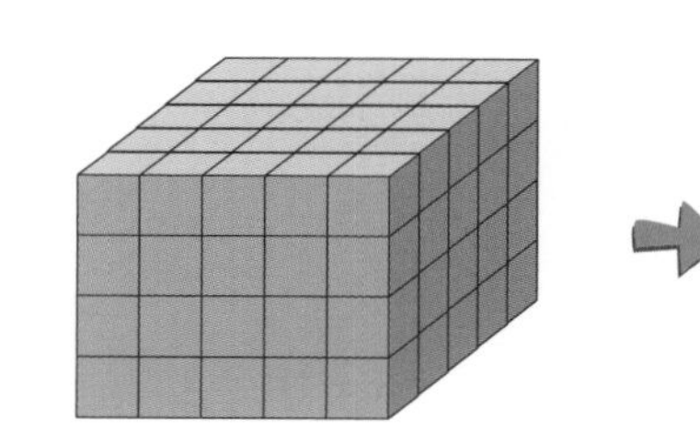

$5 \times 5 \times 4 = 25 \times 4 = 100$(개)

한 층에 있는 쌓기나무의 개수 : $5 \times 5 = 25$(개)
쌓인 층 수 : 4층

①

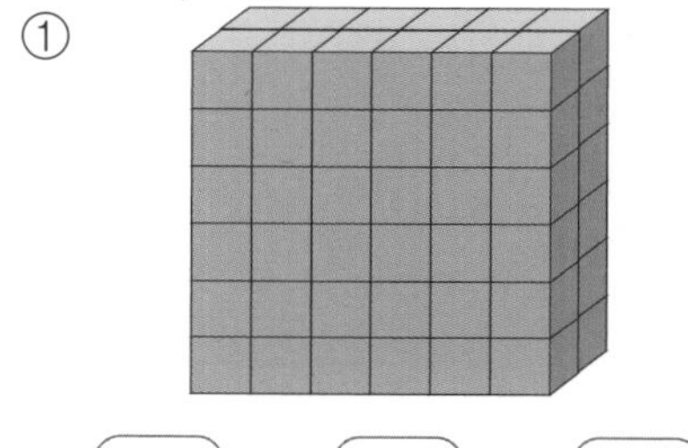

☐ × ☐ × ☐
= ☐

②

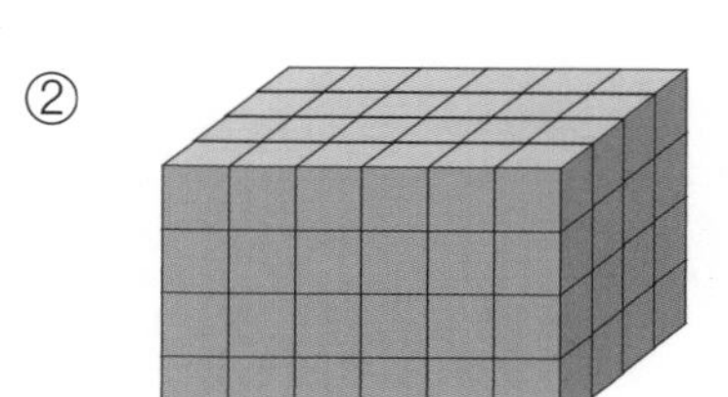

☐ × ☐ × ☐
= ☐

③

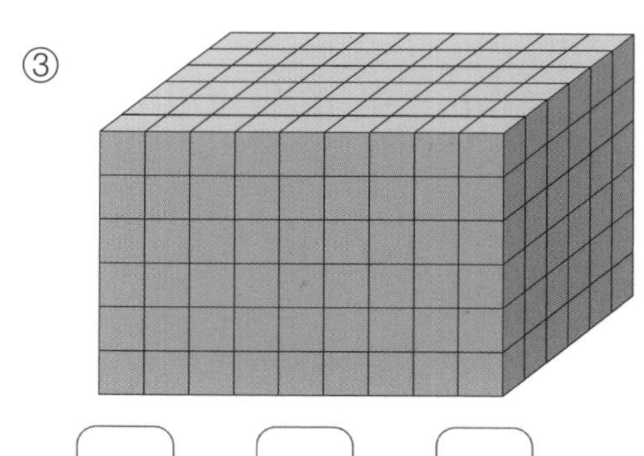

☐ × ☐ × ☐
= ☐

④

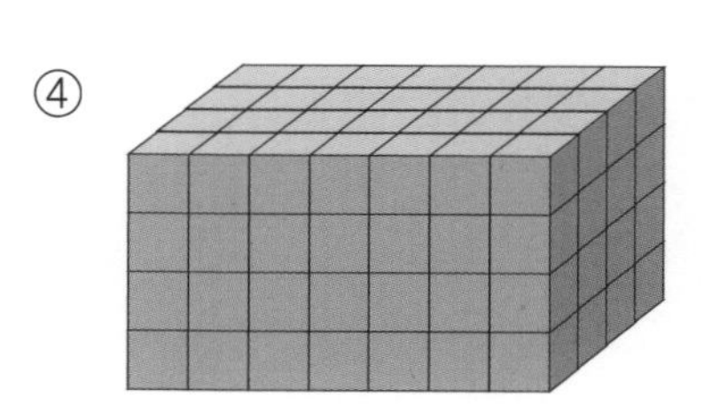

☐ × ☐ × ☐
= ☐

Tip
정면에서 보이는 면에 있는 쌓기나무의 개수를 먼저 구해서 계산할 수도 있습니다.

문장제

글과 그림을 보고 물음에 알맞은 식을 세우고 답을 구하세요.

종이 18장을 겹쳐 놓고 다음과 같이 구멍을 뚫었습니다.

① 종이 전체에 뚫린 구멍은 모두 몇 개일까요?

식 : ______________________ 답 : ________개

② 9장의 종이를 겹쳐 놓고 구멍을 26개 뚫으면 구멍은 모두 몇 개가 생길까요?

식 : ______________________ 답 : ________개

문제를 읽고 알맞은 식과 답을 써 보세요.

① 예원이는 문구점에서 35장짜리 스케치북을 4개 샀습니다. 예원이가 산 스케치북은 모두 몇 장일까요?

식 : ______________________ 답 : __________ 장

② 연탄에 뚫린 구멍은 집게로 집기 쉽게 하고 구멍 사이로 산소가 드나들면서 열효율을 좋게 합니다. 구멍이 22개인 연탄 8장에는 모두 몇 개의 구멍이 뚫려 있을까요?

식 : ______________________ 답 : __________ 개

③ 민호네 양계장에는 닭 36마리가 있는데 하루에 닭들이 모두 3개씩의 달걀을 낳습니다. 닭들이 하루 동안 낳는 달걀은 모두 몇 개일까요?

식 : ______________________ 답 : __________ 개

④ 어느 과일 가게에서 파는 바나나가 한 송이에 7개씩 달려 있습니다. 바나나 78송이에 달린 바나나는 모두 몇 개일까요?

식 : ______________________ 답 : __________ 개

문제를 읽고 알맞은 식과 답을 써 보세요.

① 영주가 가지고 있는 구슬을 한 줄에 48개씩 늘어 놓았더니 모두 5줄이 생겼습니다. 영주가 가지고 있는 구슬은 모두 몇 개일까요?

식 : ______________________ 답 : __________ 개

② 정호는 자전거를 타고 1분에 63 m의 빠르기로 달리고 있습니다. 9분 동안 정호가 자전거로 이동한 거리는 몇 m일까요?

식 : ______________________ 답 : __________ m

③ 성호는 할머니 댁에 있는 배추밭에 갔는데 배추가 26포기씩 9줄로 묻혀 있었습니다. 모두 김장을 위해 사용한다면 김장에 사용하게 될 배추는 몇 포기일까요?

식 : ______________________ 답 : __________ 포기

④ 은경이네 학교에서 좌석이 45개 있는 버스 4대를 타고 방송국 견학을 갑니다. 버스 4대에 사람이 가득 찼다면 견학을 가는 사람은 모두 몇 명일까요?

식 : ______________________ 답 : __________ 명

3주차

다양한 곱셈 방법

세로셈을 기본으로 하여 가로셈을 세로셈으로 계산하기, 열 배를 이용한 가로셈 계산 등을 공부합니다. 상황에 맞는 다양한 계산 방법은 곱셈의 원리를 더 깊이 있게 이해하고, 상황에 따라 계산을 간편하게 할 수 있습니다.

계산을 하세요.

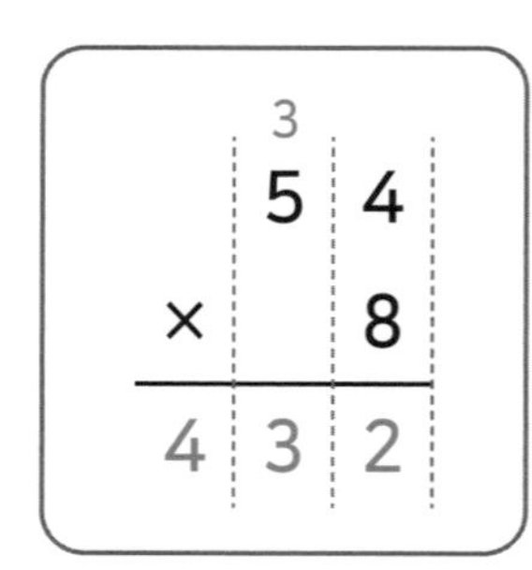

①
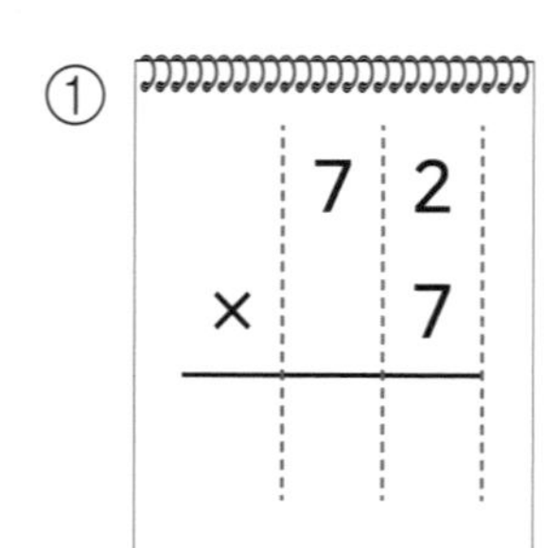

②
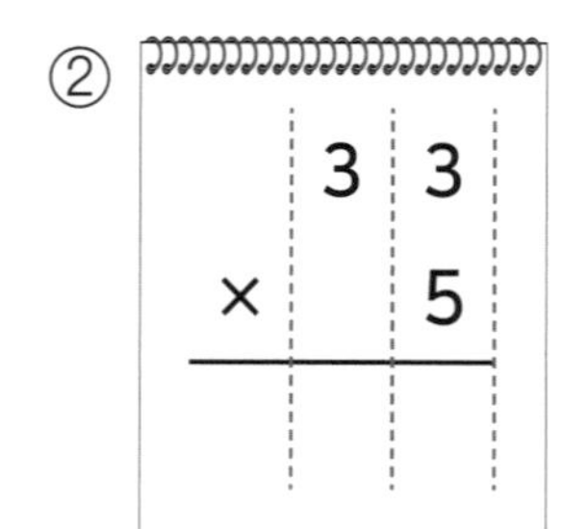

③
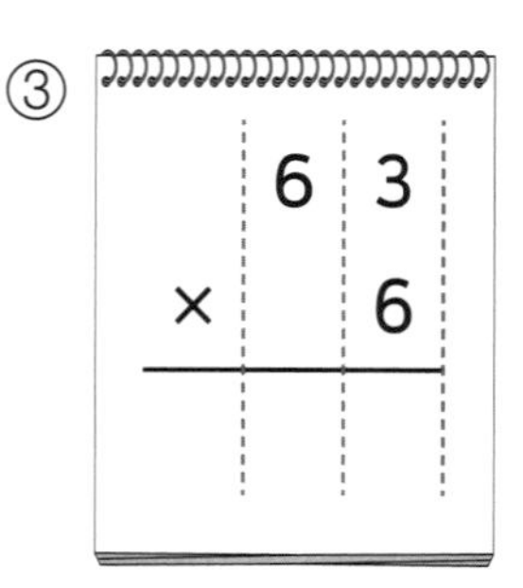

④
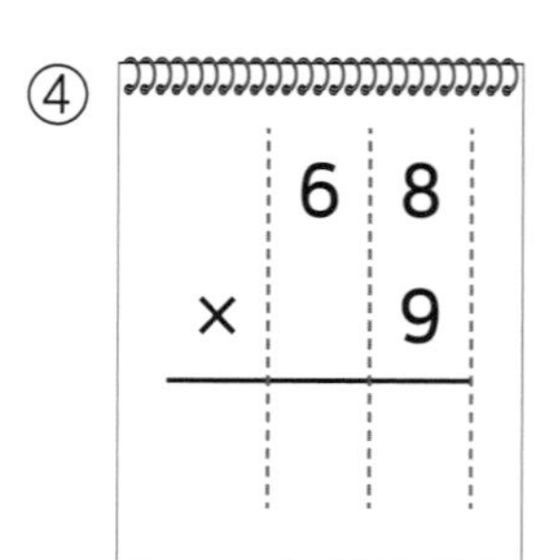

⑤
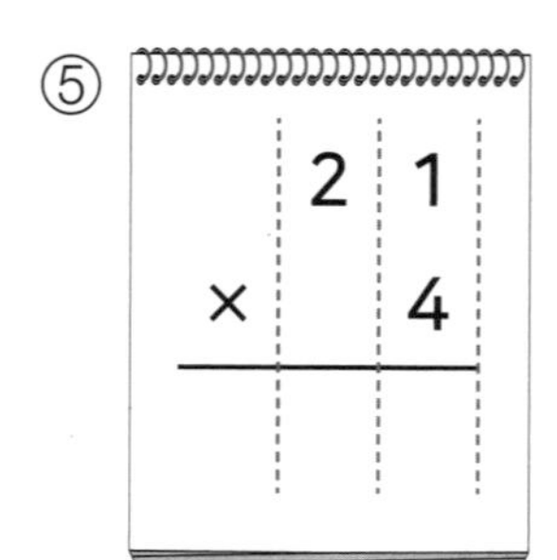

⑥
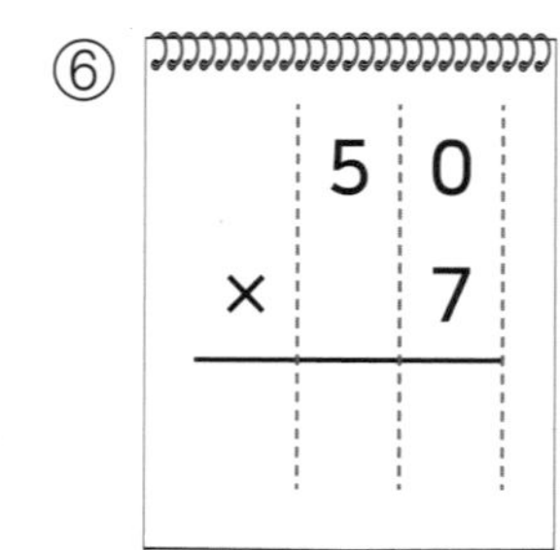

⑦
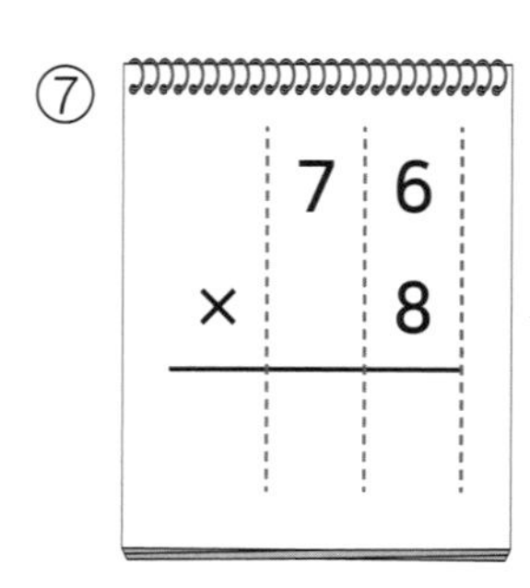

⑧
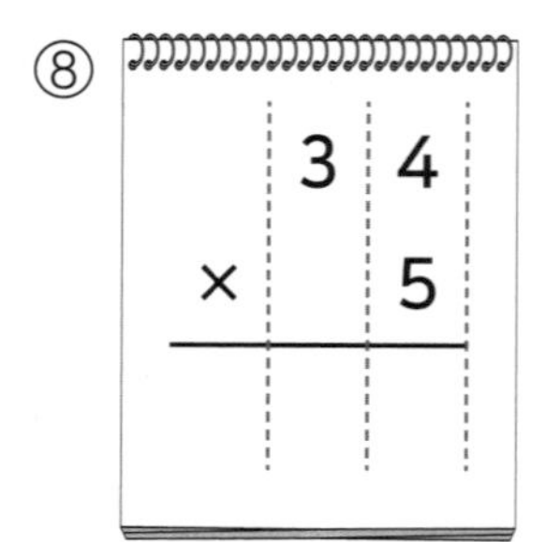

⑨
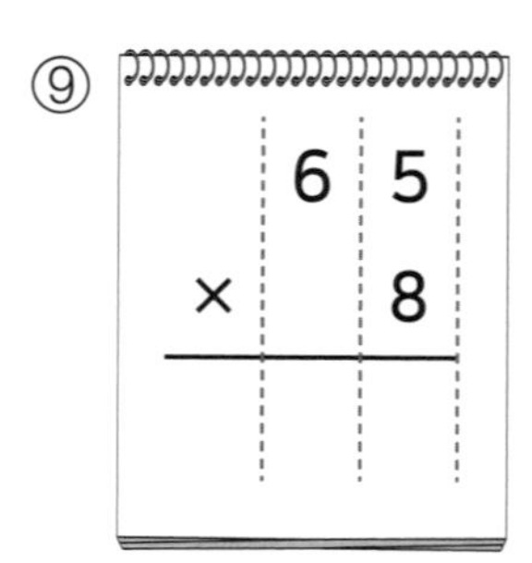

⑩
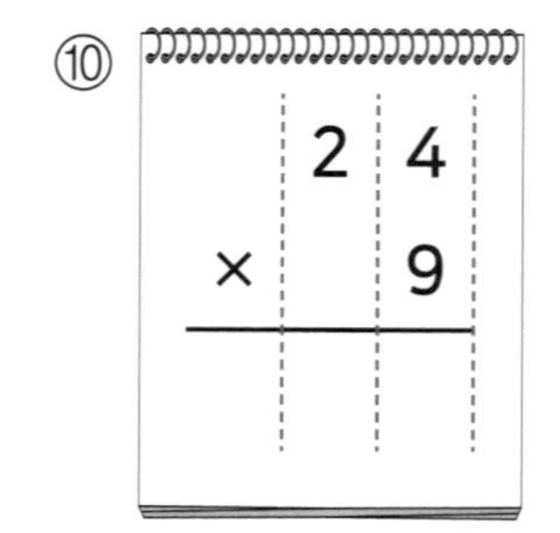

⑪
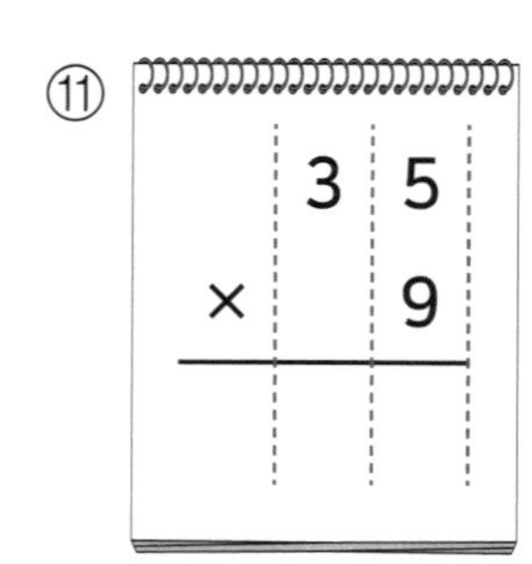

⑫
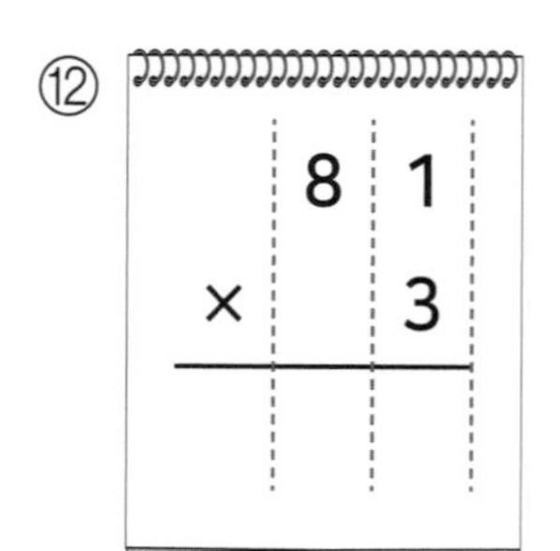

⑬
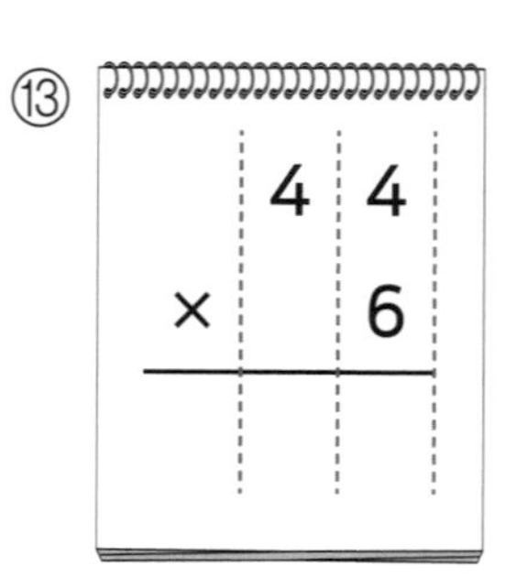

⑭
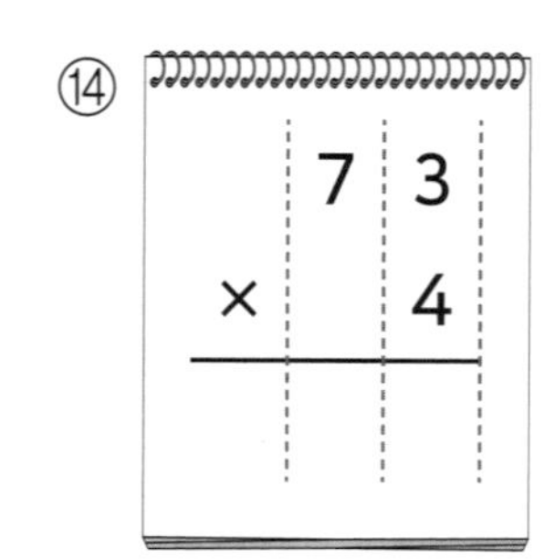

⑮

$$\begin{array}{r} 26 \\ \times \quad 9 \\ \hline \end{array}$$

계산을 하세요.

① 50×6

②
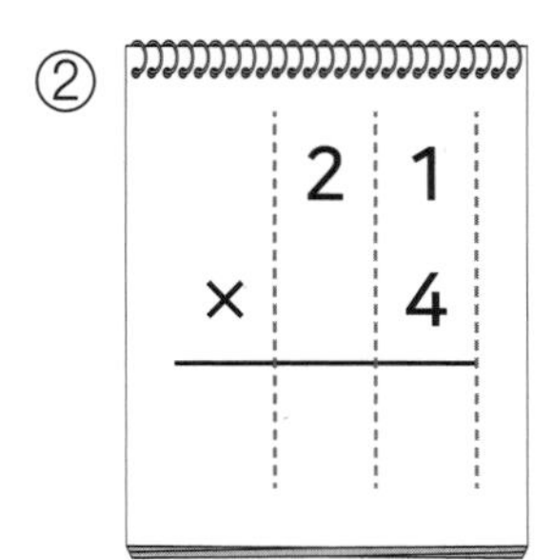

③ 36×2

④ 47×6

⑤
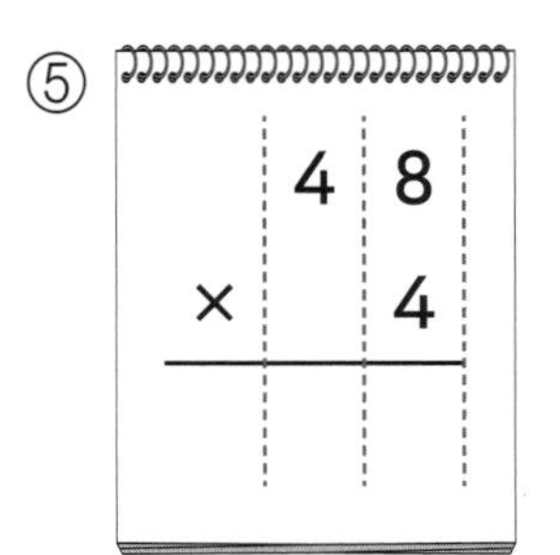

⑥
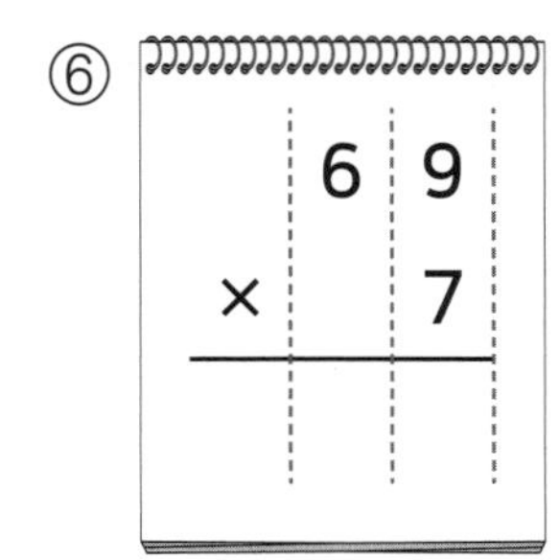

⑦
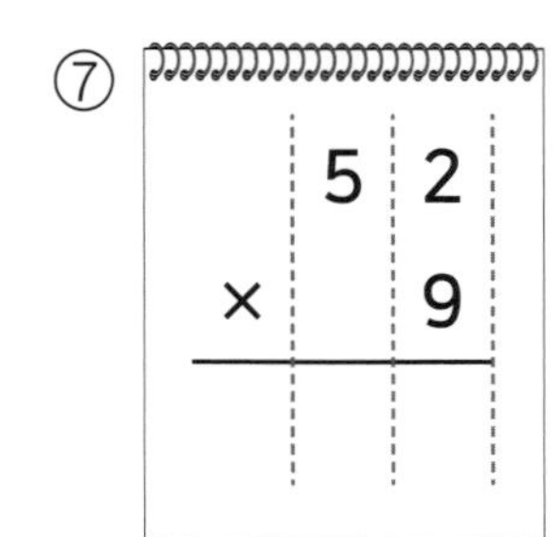

⑧
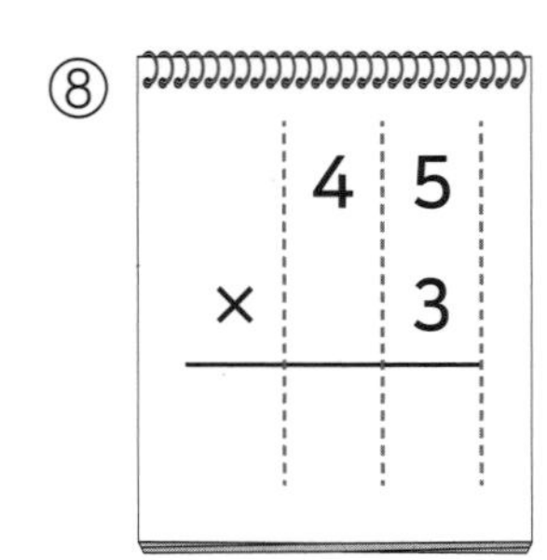

⑨ 38×3

⑩ 87×2

⑪
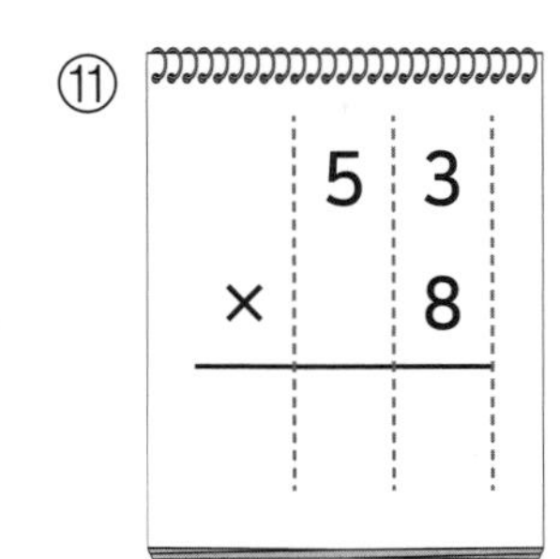

⑫
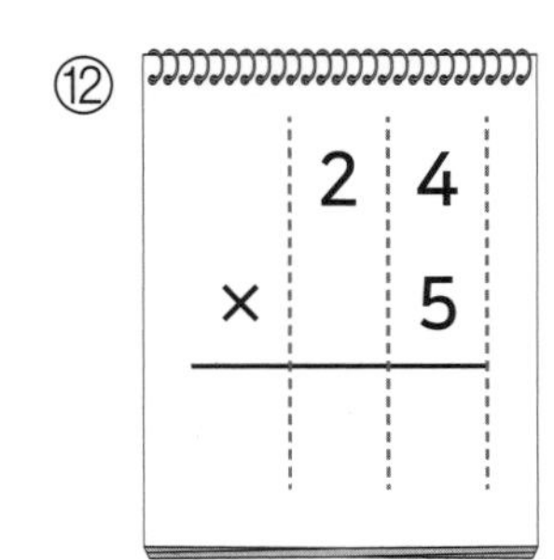

⑬ 17×7

⑭ 26×9

⑮ 63×8

⑯ 28×9

잘못 계산한 것을 찾아 바르게 고쳐 보세요.

$$\begin{array}{r} 21 \\ \times \quad 9 \\ \hline 189 \end{array} \qquad \begin{array}{r} 16 \\ \times \quad 8 \\ \hline 128 \end{array} \qquad \begin{array}{r} 32 \\ \times \quad 3 \\ \hline 96 \end{array} \qquad \begin{array}{r} 58 \\ \times \quad 4 \\ \hline 240 \end{array}$$

$$\begin{array}{r} 28 \\ \times \quad 9 \\ \hline 252 \end{array} \qquad \begin{array}{r} 37 \\ \times \quad 7 \\ \hline 249 \end{array} \qquad \begin{array}{r} 25 \\ \times \quad 3 \\ \hline 75 \end{array} \qquad \begin{array}{r} 37 \\ \times \quad 4 \\ \hline 148 \end{array}$$

$$\begin{array}{r} 32 \\ \times \quad 7 \\ \hline 234 \end{array} \qquad \begin{array}{r} 94 \\ \times \quad 8 \\ \hline 752 \end{array} \qquad \begin{array}{r} 53 \\ \times \quad 6 \\ \hline 318 \end{array} \qquad \begin{array}{r} 72 \\ \times \quad 9 \\ \hline 648 \end{array}$$

$$\begin{array}{r} 67 \\ \times \quad 8 \\ \hline 536 \end{array} \qquad \begin{array}{r} 76 \\ \times \quad 7 \\ \hline 532 \end{array} \qquad \begin{array}{r} 59 \\ \times \quad 5 \\ \hline 295 \end{array} \qquad \begin{array}{r} 98 \\ \times \quad 7 \\ \hline 682 \end{array}$$

가로셈을 세로셈으로

공부한 날 월 일

계산을 하세요.

45 × 5 = 225

$$\begin{array}{r} 45 \\ \times\ \ 5 \\ \hline 225 \end{array}$$

① 25 × 4 =

② 17 × 3 =

③ 67 × 3 =

④ 41 × 2 =

⑤ 15 × 8 =

⑥ 63 × 5 =

⑦ 35 × 8 =

⑧ 27 × 9 =

⑨ 36 × 3 =

⑩ 90 × 8 =

⑪ 45 × 6 =

⑫ 38 × 7 =

⑬ 14 × 8 =

계산을 하세요.

① $42 \times 2 =$

② $16 \times 5 =$

③ $60 \times 6 =$

④ $35 \times 4 =$

⑤ $79 \times 6 =$

⑥ $25 \times 8 =$

⑦ $18 \times 7 =$

⑧ $64 \times 2 =$

⑨ $89 \times 5 =$

⑩ $12 \times 8 =$

⑪ $37 \times 7 =$

⑫ $46 \times 3 =$

⑬ $28 \times 6 =$

⑭ $54 \times 9 =$

규칙에 맞게 빈 곳에 수를 써넣으세요.

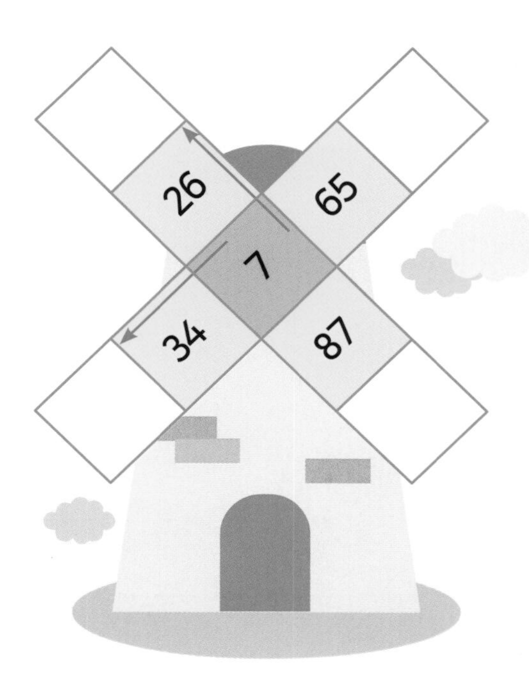

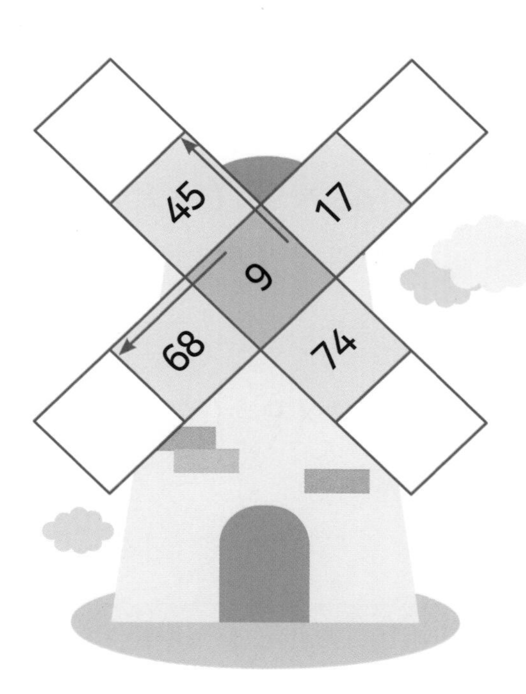

열 배를 이용한 계산

월 일

□에 알맞은 수를 써넣으세요.

①

$23 \times 9 = (23 \times 10) - 23$

$= \square - 23 = \square$

②

$46 \times 9 = (46 \times 10) - 46$

$= \square - 46 = \square$

③

$75 \times 9 = (75 \times 10) - 75$

$= \square - 75 = \square$

④

$17 \times 9 = (17 \times 10) - 17$

$= \square - 17 = \square$

⑤

$43 \times 9 = (43 \times 10) - 43$

$= \square - 43 = \square$

⑥

$52 \times 9 = (52 \times 10) - 52$

$= \square - 52 = \square$

Tip

곱하기 9의 계산은 곱해지는 수를 10배 한 수에서 곱해지는 수를 빼서 계산할 수 있습니다.

□에 알맞은 수를 써넣으세요.

① $34 \times 8 = (34 \times 10) - (34 \times 2)$

$= \square - \square = \square$

② $27 \times 8 = (27 \times 10) - (27 \times 2)$

$= \square - \square = \square$

③ $16 \times 8 = (16 \times 10) - (16 \times 2)$

$= \square - \square = \square$

④ $53 \times 8 = (53 \times 10) - (53 \times 2)$

$= \square - \square = \square$

⑤ $38 \times 8 = (38 \times 10) - (38 \times 2)$

$= \square - \square = \square$

⑥ $46 \times 8 = (46 \times 10) - (46 \times 2)$

$= \square - \square = \square$

Tip

곱하기 8의 계산은 곱해지는 수를 10배 한 수에서 곱해지는 수의 두 배를 빼서 계산할 수 있습니다.

계산을 하세요.

① $37 \times 9 =$

② $13 \times 8 =$

③ $25 \times 9 =$

④ $75 \times 8 =$

⑤ $47 \times 9 =$

⑥ $35 \times 8 =$

⑦ $19 \times 9 =$

⑧ $26 \times 8 =$

⑨ $54 \times 9 =$

⑩ $52 \times 8 =$

⑪ $62 \times 9 =$

⑫ $44 \times 8 =$

⑬ $14 \times 9 =$

⑭ $55 \times 8 =$

음료수의 개수

공부한 날 월 일

음료수 공장에서 생산된 음료수를 박스에 담았습니다. 음료수 상자를 쌓은 모양을 보고 모두 몇 개의 음료수가 있는지 써넣으세요.

한 상자 안의 음료수 개수: 36개

음료수의 총 개수: ☐ 개

한 상자 안의 음료수 개수: 48개

음료수의 총 개수: ☐ 개

한 상자 안의 음료수 개수: 19개

음료수의 총 개수: ☐ 개

한 상자 안의 음료수 개수: 73개

음료수의 총 개수: ☐ 개

한 상자 안의 음료수 개수: 49개

음료수의 총 개수: ☐ 개

한 상자 안의 음료수 개수: 28개

음료수의 총 개수: ☐ 개

음료수 공장에서 생산된 음료수를 박스에 담았습니다. 음료수 상자를 쌓은 모양을 보고 모두 몇 개의 음료수가 있는지 써넣으세요.

한 상자 안의 음료수 개수: 22개

음료수의 총 개수: ☐개

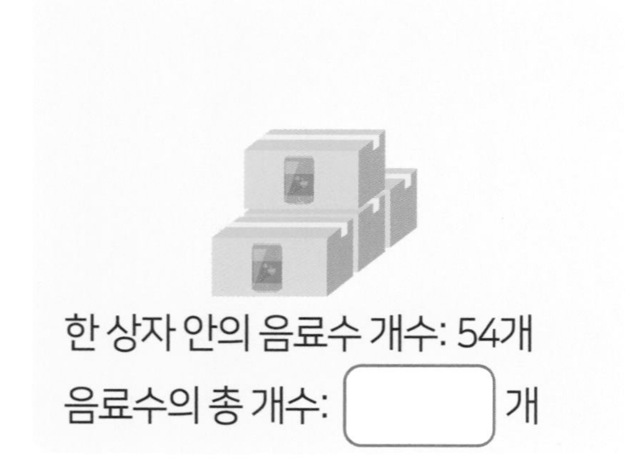

한 상자 안의 음료수 개수: 54개

음료수의 총 개수: ☐개

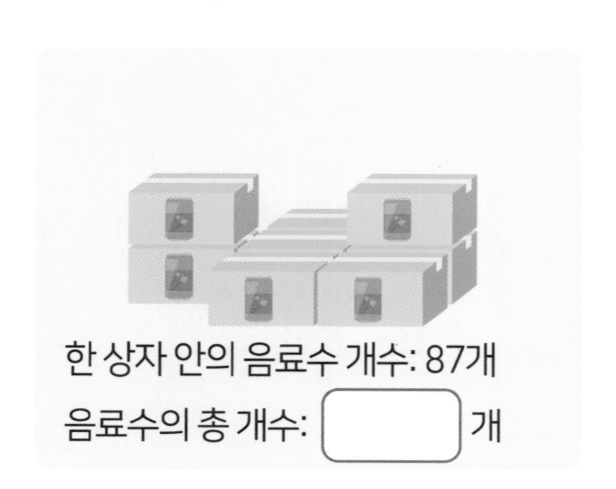

한 상자 안의 음료수 개수: 87개

음료수의 총 개수: ☐개

한 상자 안의 음료수 개수: 63개

음료수의 총 개수: ☐개

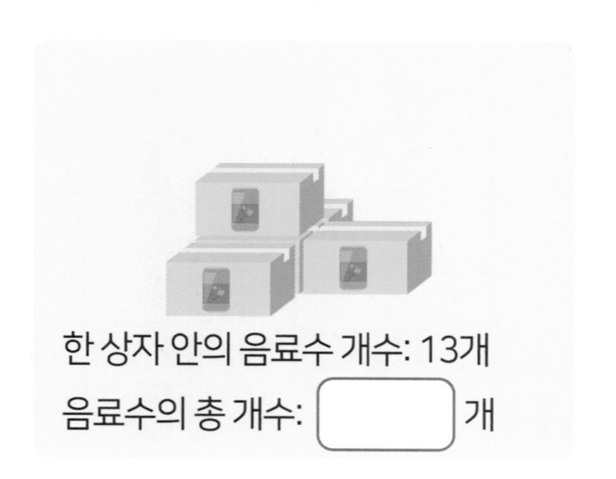

한 상자 안의 음료수 개수: 13개

음료수의 총 개수: ☐개

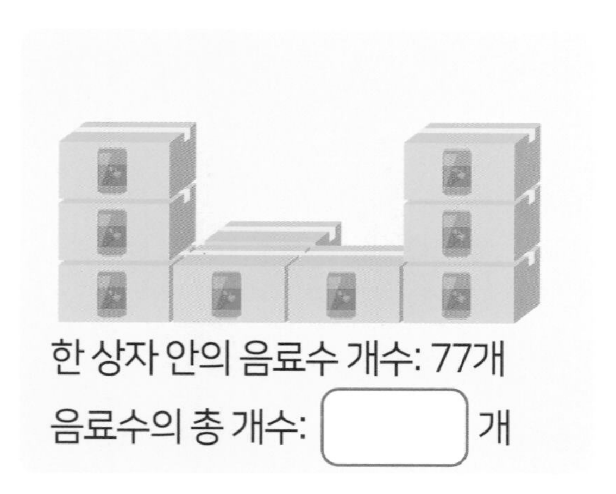

한 상자 안의 음료수 개수: 77개

음료수의 총 개수: ☐개

한 상자에 담긴 음료수의 개수입니다. 모든 상자에 똑같이 담으면 몇 개인지 써넣으세요.

상자의 총 개수: 7개
음료수의 총 개수: ☐ 개

상자의 총 개수: 6개
음료수의 총 개수: ☐ 개

상자의 총 개수: 4개
음료수의 총 개수: ☐ 개

상자의 총 개수: 9개
음료수의 총 개수: ☐ 개

상자의 총 개수: 8개
음료수의 총 개수: ☐ 개

상자의 총 개수: 5개
음료수의 총 개수: ☐ 개

거스름돈 구하기

월 일

1000원으로 사탕을 구입한 후 남는 거스름돈을 구하세요.

사탕	1개의 가격(원)	사탕	1개의 가격(원)
	84원		76원
	69원		94원

거스름돈 448 원

1000 - (69 × 8) = 448

①

거스름돈 [ ] 원

②

거스름돈 [ ] 원

③

거스름돈 [ ] 원

④

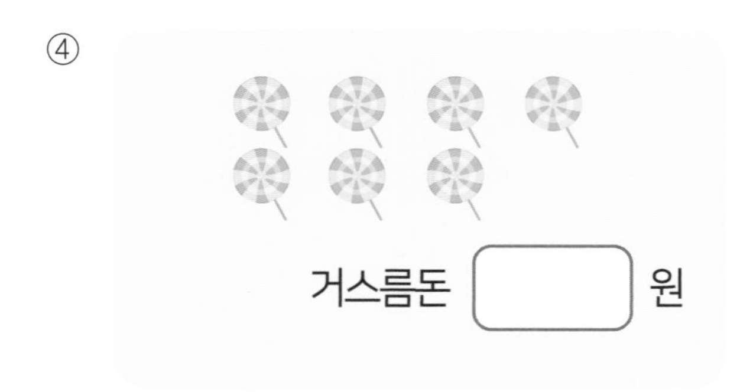

거스름돈 [ ] 원

⑤

거스름돈 [ ] 원

1000원으로 사탕을 구입한 후 남는 거스름돈을 구하세요.

사탕	1개의 가격(원)	사탕	1개의 가격(원)
	18원		27원
	48원		33원

① 거스름돈 ☐ 원

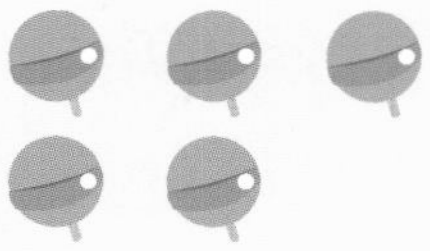

② 거스름돈 ☐ 원

③ 거스름돈 ☐ 원

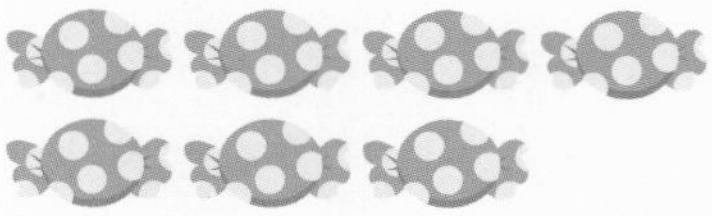

④ 거스름돈 ☐ 원

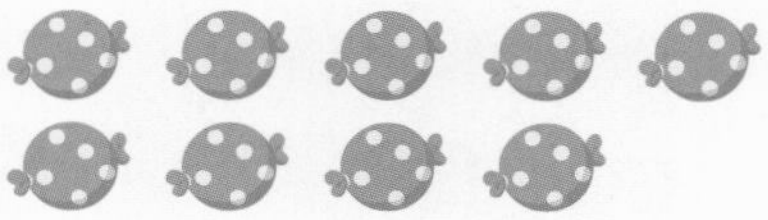

⑤ 거스름돈 ☐ 원

⑥ 거스름돈 ☐ 원

1000원으로 사탕을 구입한 후 남는 거스름돈을 구하세요.

사탕	1개의 가격(원)	사탕	1개의 가격(원)
	18원		27원
	48원		33원

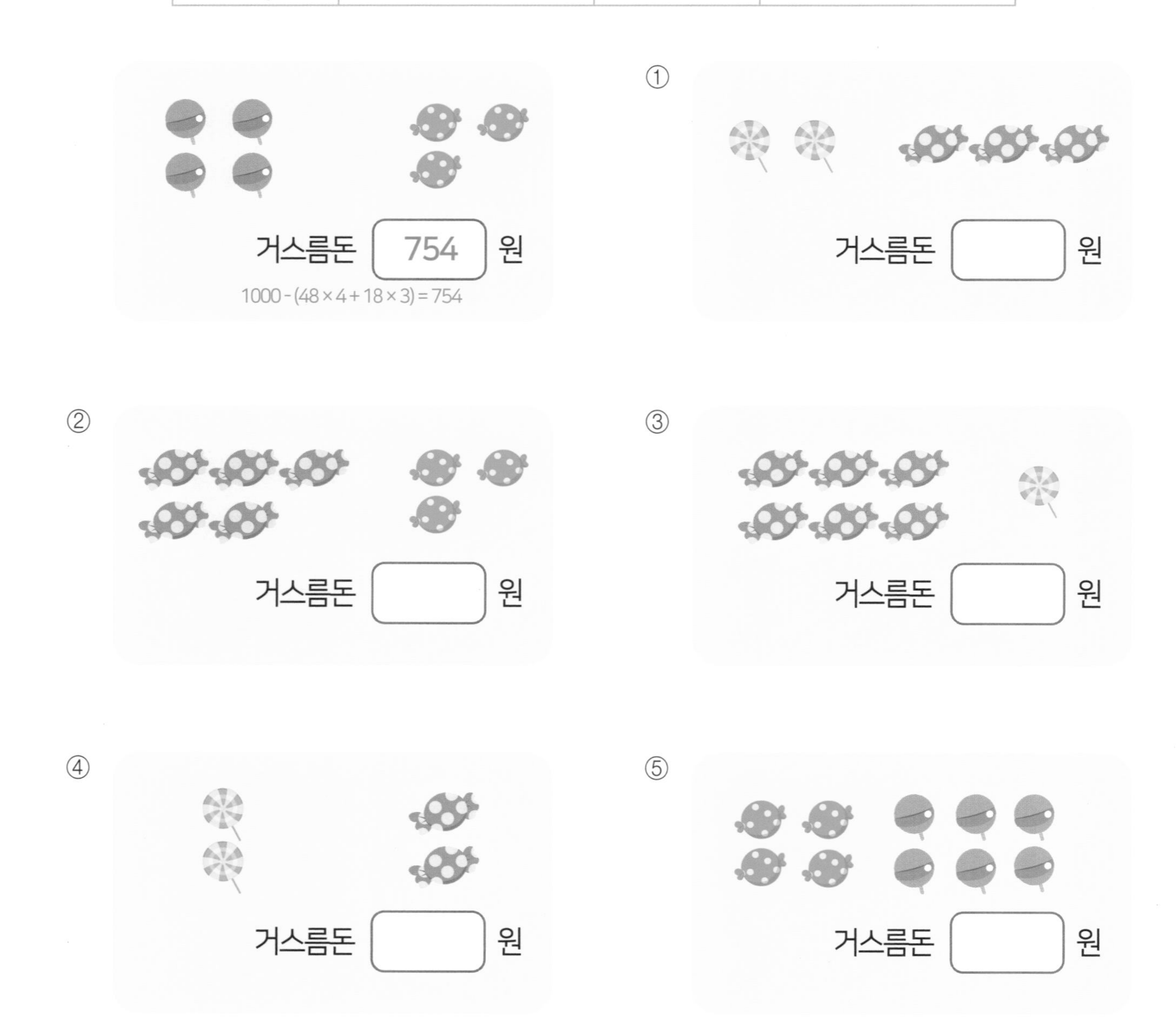

4주차

도전! 계산왕

(두 자리 수)×(한 자리 수)

공부한 날	월 일
점수	/21

계산을 하세요.

① 83×9

② 98×8

③ 84×2

④ 26×5

⑤ 96×9

⑥ 53×5

⑦ 65×6

⑧ 73×5

⑨ 89×6

⑩ 45×2

⑪ 94×4

⑫ 52×7

⑬ $20 \times 8 =$

⑭ $80 \times 3 =$

⑮ $70 \times 2 =$

⑯ $40 \times 2 =$

⑰ $55 \times 8 =$

⑱ $79 \times 6 =$

⑲ $19 \times 2 =$

⑳ $55 \times 5 =$

㉑ $13 \times 5 =$

(두 자리 수)×(한 자리 수)

공부한 날	월 일
점수	/21

계산을 하세요.

① $\begin{array}{r} 82 \\ \times\ \ 5 \\ \hline \end{array}$

② $\begin{array}{r} 40 \\ \times\ \ 6 \\ \hline \end{array}$

③ $\begin{array}{r} 94 \\ \times\ \ 8 \\ \hline \end{array}$

④ $\begin{array}{r} 54 \\ \times\ \ 2 \\ \hline \end{array}$

⑤ $\begin{array}{r} 33 \\ \times\ \ 3 \\ \hline \end{array}$

⑥ $\begin{array}{r} 33 \\ \times\ \ 5 \\ \hline \end{array}$

⑦ $\begin{array}{r} 93 \\ \times\ \ 5 \\ \hline \end{array}$

⑧ $\begin{array}{r} 37 \\ \times\ \ 8 \\ \hline \end{array}$

⑨ $\begin{array}{r} 69 \\ \times\ \ 5 \\ \hline \end{array}$

⑩ $\begin{array}{r} 97 \\ \times\ \ 4 \\ \hline \end{array}$

⑪ $\begin{array}{r} 61 \\ \times\ \ 4 \\ \hline \end{array}$

⑫ $\begin{array}{r} 62 \\ \times\ \ 6 \\ \hline \end{array}$

⑬ $91 \times 8 =$

⑭ $97 \times 6 =$

⑮ $57 \times 2 =$

⑯ $75 \times 8 =$

⑰ $75 \times 4 =$

⑱ $39 \times 8 =$

⑲ $15 \times 6 =$

⑳ $37 \times 4 =$

㉑ $91 \times 7 =$

(두 자리 수)×(한 자리 수)

공부한 날	월 일
점수	/ 21

계산을 하세요.

① $\begin{array}{r} 36 \\ \times \quad 4 \\ \hline \end{array}$

② $\begin{array}{r} 34 \\ \times \quad 6 \\ \hline \end{array}$

③ $\begin{array}{r} 94 \\ \times \quad 7 \\ \hline \end{array}$

④ $\begin{array}{r} 55 \\ \times \quad 6 \\ \hline \end{array}$

⑤ $\begin{array}{r} 78 \\ \times \quad 9 \\ \hline \end{array}$

⑥ $\begin{array}{r} 19 \\ \times \quad 7 \\ \hline \end{array}$

⑦ $\begin{array}{r} 18 \\ \times \quad 9 \\ \hline \end{array}$

⑧ $\begin{array}{r} 46 \\ \times \quad 7 \\ \hline \end{array}$

⑨ $\begin{array}{r} 72 \\ \times \quad 9 \\ \hline \end{array}$

⑩ $\begin{array}{r} 45 \\ \times \quad 9 \\ \hline \end{array}$

⑪ $\begin{array}{r} 43 \\ \times \quad 4 \\ \hline \end{array}$

⑫ $\begin{array}{r} 47 \\ \times \quad 8 \\ \hline \end{array}$

⑬ $20 \times 7 =$

⑭ $20 \times 5 =$

⑮ $14 \times 8 =$

⑯ $89 \times 4 =$

⑰ $67 \times 6 =$

⑱ $13 \times 5 =$

⑲ $81 \times 3 =$

⑳ $33 \times 8 =$

㉑ $70 \times 6 =$

(두 자리 수)×(한 자리 수)

공부한 날	월 일
점수	/21

계산을 하세요.

① 79×5

② 51×2

③ 81×2

④ 50×6

⑤ 58×6

⑥ 51×8

⑦ 78×5

⑧ 96×8

⑨ 74×8

⑩ 66×9

⑪ 80×5

⑫ 85×4

⑬ 99 × 3 =

⑭ 90 × 9 =

⑮ 78 × 2 =

⑯ 51 × 7 =

⑰ 46 × 8 =

⑱ 25 × 3 =

⑲ 83 × 4 =

⑳ 69 × 5 =

㉑ 87 × 4 =

(두 자리 수)×(한 자리 수)

공부한 날	월 일
점수	/ 21

계산을 하세요.

① $\begin{array}{r} 70 \\ \times \quad 2 \\ \hline \end{array}$

② $\begin{array}{r} 79 \\ \times \quad 3 \\ \hline \end{array}$

③ $\begin{array}{r} 62 \\ \times \quad 2 \\ \hline \end{array}$

④ $\begin{array}{r} 15 \\ \times \quad 7 \\ \hline \end{array}$

⑤ $\begin{array}{r} 77 \\ \times \quad 5 \\ \hline \end{array}$

⑥ $\begin{array}{r} 23 \\ \times \quad 3 \\ \hline \end{array}$

⑦ $\begin{array}{r} 20 \\ \times \quad 6 \\ \hline \end{array}$

⑧ $\begin{array}{r} 51 \\ \times \quad 7 \\ \hline \end{array}$

⑨ $\begin{array}{r} 30 \\ \times \quad 9 \\ \hline \end{array}$

⑩ $\begin{array}{r} 20 \\ \times \quad 7 \\ \hline \end{array}$

⑪ $\begin{array}{r} 90 \\ \times \quad 8 \\ \hline \end{array}$

⑫ $\begin{array}{r} 22 \\ \times \quad 8 \\ \hline \end{array}$

⑬ $70 \times 4 =$

⑭ $17 \times 3 =$

⑮ $45 \times 8 =$

⑯ $43 \times 3 =$

⑰ $85 \times 6 =$

⑱ $72 \times 2 =$

⑲ $13 \times 7 =$

⑳ $86 \times 4 =$

㉑ $55 \times 7 =$

(두 자리 수)×(한 자리 수)

공부한 날 월 일
점수 / 21

계산을 하세요.

① 27×7

② 79×3

③ 62×9

④ 48×2

⑤ 57×8

⑥ 74×8

⑦ 35×4

⑧ 85×4

⑨ 58×3

⑩ 63×3

⑪ 75×4

⑫ 16×3

⑬ $32 \times 6 =$

⑭ $89 \times 2 =$

⑮ $72 \times 5 =$

⑯ $29 \times 3 =$

⑰ $53 \times 3 =$

⑱ $36 \times 7 =$

⑲ $70 \times 7 =$

⑳ $60 \times 5 =$

㉑ $86 \times 6 =$

4일 ❶

(두 자리 수)×(한 자리 수)

공부한 날 월 일
점수 /21

계산을 하세요.

① $\begin{array}{r} 65 \\ \times \quad 2 \\ \hline \end{array}$

② $\begin{array}{r} 54 \\ \times \quad 6 \\ \hline \end{array}$

③ $\begin{array}{r} 94 \\ \times \quad 9 \\ \hline \end{array}$

④ $\begin{array}{r} 83 \\ \times \quad 3 \\ \hline \end{array}$

⑤ $\begin{array}{r} 75 \\ \times \quad 4 \\ \hline \end{array}$

⑥ $\begin{array}{r} 91 \\ \times \quad 9 \\ \hline \end{array}$

⑦ $\begin{array}{r} 36 \\ \times \quad 5 \\ \hline \end{array}$

⑧ $\begin{array}{r} 93 \\ \times \quad 2 \\ \hline \end{array}$

⑨ $\begin{array}{r} 74 \\ \times \quad 2 \\ \hline \end{array}$

⑩ $\begin{array}{r} 37 \\ \times \quad 7 \\ \hline \end{array}$

⑪ $\begin{array}{r} 39 \\ \times \quad 5 \\ \hline \end{array}$

⑫ $\begin{array}{r} 97 \\ \times \quad 5 \\ \hline \end{array}$

⑬ $70 \times 6 =$

⑭ $95 \times 6 =$

⑮ $91 \times 7 =$

⑯ $88 \times 4 =$

⑰ $17 \times 3 =$

⑱ $79 \times 8 =$

⑲ $43 \times 9 =$

⑳ $99 \times 8 =$

㉑ $56 \times 7 =$

4일 ❷

(두 자리 수)×(한 자리 수)

공부한 날	월 일
점수	/ 21

계산을 하세요.

① 32×2

② 16×4

③ 93×8

④ 77×5

⑤ 88×6

⑥ 56×7

⑦ 49×8

⑧ 61×6

⑨ 95×4

⑩ 94×9

⑪ 17×6

⑫ 30×6

⑬ $25 \times 8 =$

⑭ $30 \times 5 =$

⑮ $89 \times 2 =$

⑯ $26 \times 4 =$

⑰ $47 \times 7 =$

⑱ $23 \times 4 =$

⑲ $65 \times 7 =$

⑳ $12 \times 9 =$

㉑ $94 \times 4 =$

5일 ❶

(두 자리 수)×(한 자리 수)

공부한 날	월 일
점수	/ 21

계산을 하세요.

① $\begin{array}{r} 67 \\ \times\ \ 8 \\ \hline \end{array}$ ② $\begin{array}{r} 34 \\ \times\ \ 8 \\ \hline \end{array}$ ③ $\begin{array}{r} 13 \\ \times\ \ 2 \\ \hline \end{array}$ ④ $\begin{array}{r} 80 \\ \times\ \ 3 \\ \hline \end{array}$

⑤ $\begin{array}{r} 41 \\ \times\ \ 2 \\ \hline \end{array}$ ⑥ $\begin{array}{r} 59 \\ \times\ \ 8 \\ \hline \end{array}$ ⑦ $\begin{array}{r} 11 \\ \times\ \ 2 \\ \hline \end{array}$ ⑧ $\begin{array}{r} 90 \\ \times\ \ 5 \\ \hline \end{array}$

⑨ $\begin{array}{r} 57 \\ \times\ \ 9 \\ \hline \end{array}$ ⑩ $\begin{array}{r} 65 \\ \times\ \ 7 \\ \hline \end{array}$ ⑪ $\begin{array}{r} 44 \\ \times\ \ 8 \\ \hline \end{array}$ ⑫ $\begin{array}{r} 16 \\ \times\ \ 5 \\ \hline \end{array}$

⑬ $32 \times 6 =$ ⑭ $87 \times 9 =$ ⑮ $75 \times 4 =$

⑯ $89 \times 3 =$ ⑰ $54 \times 4 =$ ⑱ $15 \times 4 =$

⑲ $39 \times 2 =$ ⑳ $77 \times 2 =$ ㉑ $69 \times 7 =$

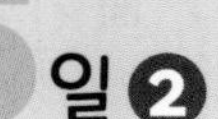

(두 자리 수)×(한 자리 수)

공부한 날	월 일
점수	/ 21

계산을 하세요.

① $\begin{array}{r} 50 \\ \times \quad 2 \\ \hline \end{array}$

② $\begin{array}{r} 39 \\ \times \quad 5 \\ \hline \end{array}$

③ $\begin{array}{r} 40 \\ \times \quad 7 \\ \hline \end{array}$

④ $\begin{array}{r} 98 \\ \times \quad 3 \\ \hline \end{array}$

⑤ $\begin{array}{r} 62 \\ \times \quad 7 \\ \hline \end{array}$

⑥ $\begin{array}{r} 19 \\ \times \quad 4 \\ \hline \end{array}$

⑦ $\begin{array}{r} 43 \\ \times \quad 5 \\ \hline \end{array}$

⑧ $\begin{array}{r} 17 \\ \times \quad 4 \\ \hline \end{array}$

⑨ $\begin{array}{r} 68 \\ \times \quad 2 \\ \hline \end{array}$

⑩ $\begin{array}{r} 76 \\ \times \quad 6 \\ \hline \end{array}$

⑪ $\begin{array}{r} 40 \\ \times \quad 2 \\ \hline \end{array}$

⑫ $\begin{array}{r} 16 \\ \times \quad 3 \\ \hline \end{array}$

⑬ $29 \times 7 =$

⑭ $93 \times 4 =$

⑮ $34 \times 8 =$

⑯ $65 \times 9 =$

⑰ $29 \times 5 =$

⑱ $35 \times 2 =$

⑲ $63 \times 2 =$

⑳ $71 \times 6 =$

㉑ $28 \times 9 =$

MEMO

5주차

(세 자리 수)×(한 자리 수)

세 자리 수와 한 자리 수의 곱셈 방법을 알아보고 계산해 봅니다. 앞에서 다루었던 두 자리 수와 한 자리 수의 곱셈 방법과 그 원리는 같으나 수가 천의 자리까지 확장되며 받아올림이 한 번 더 생겼으므로 계산 과정에서 실수하지 않도록 신경써서 연습할 수 있도록 합니다.

  공부한 날 월 일

□에 알맞은 수를 써넣으세요.

①

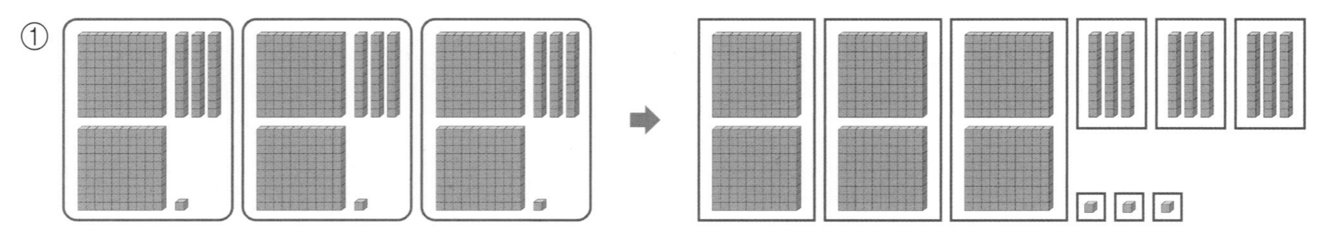

$231 \times 3 = (200 \times 3) + (30 \times 3) + (1 \times 3)$

$= \square + \square + \square = \square$

②

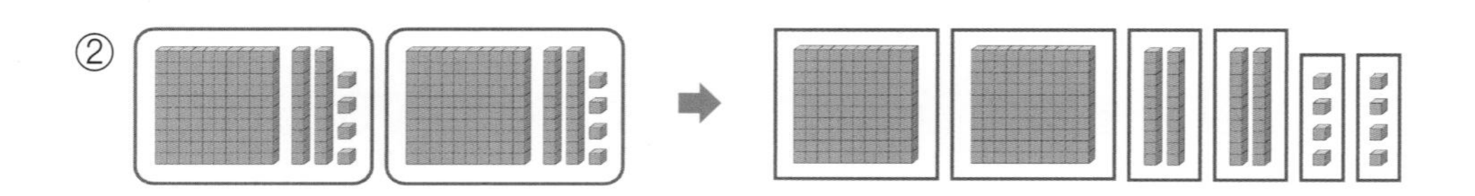

$124 \times 2 = (100 \times 2) + (20 \times 2) + (4 \times 2)$

$= \square + \square + \square = \square$

③

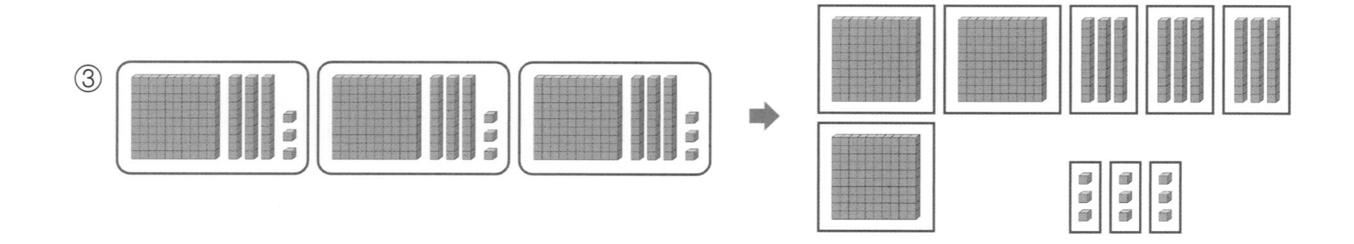

$133 \times 3 = (100 \times 3) + (30 \times 3) + (3 \times 3)$

$= \square + \square + \square = \square$

□에 알맞은 수를 써넣으세요.

①

212×4 — $200 \times 4 = \square$, $10 \times 4 = \square$, $2 \times 4 = \square$ — $\square$

②

133×2 — $100 \times 2 = \square$, $30 \times 2 = \square$, $3 \times 2 = \square$ — $\square$

③

431×2 — $400 \times 2 = \square$, $30 \times 2 = \square$, $1 \times 2 = \square$ — $\square$

④

321×3 — $300 \times 3 = \square$, $20 \times 3 = \square$, $1 \times 3 = \square$ — $\square$

계산을 하세요.

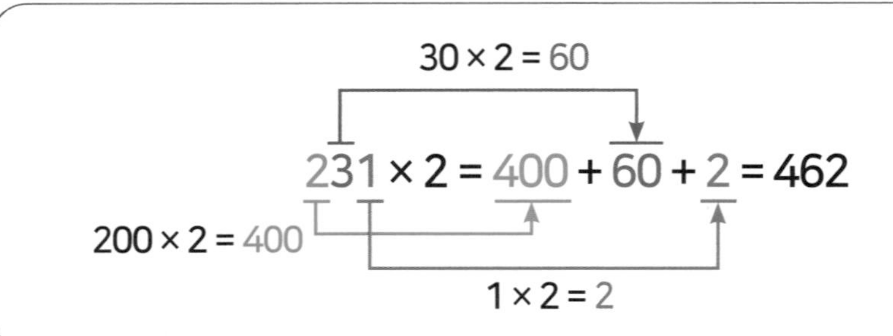

곱해지는 수 231을 200, 30, 1로 나누어 각각 곱하는 수 2를 곱한 후 세 곱을 더합니다.

① 212 × 4 =

② 143 × 2 =

③ 223 × 3 =

④ 211 × 4 =

⑤ 123 × 3 =

⑥ 332 × 2 =

⑦ 233 × 2 =

⑧ 122 × 4 =

⑨ 314 × 2 =

⑩ 232 × 3 =

⑪ 133 × 2 =

⑫ 313 × 3 =

⑬ 203 × 3 =

⑭ 431 × 2 =

올림 있는 (세 자리 수)×(한 자리 수)

공부한 날 월 일

□에 알맞은 수를 써넣으세요.

①

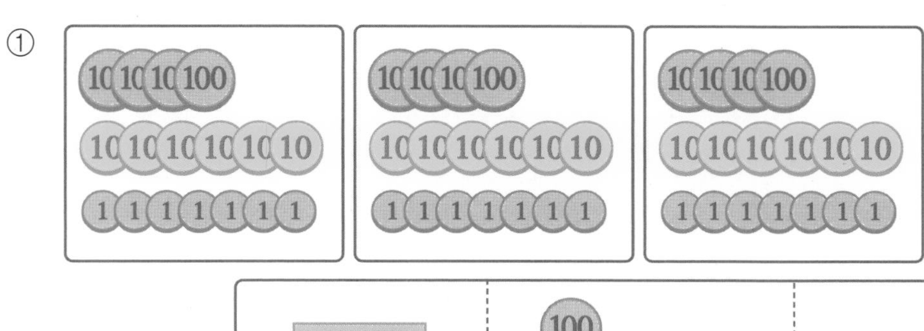

$467 \times 3 = (400 \times 3) + (60 \times 3) + (7 \times 3)$

$= \square + \square + \square = \square$

②

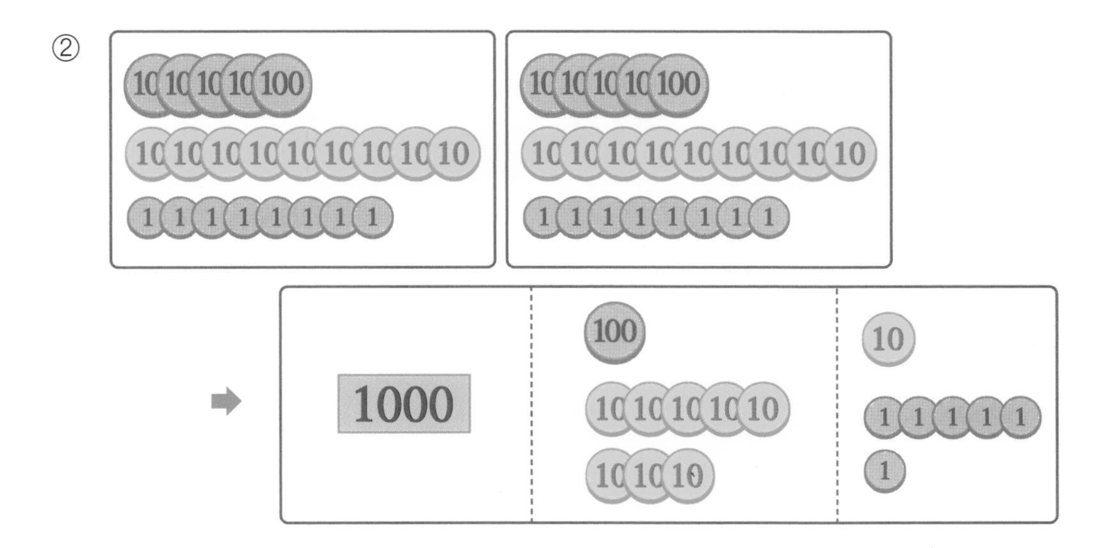

$598 \times 2 = (500 \times 2) + (90 \times 2) + (8 \times 2)$

$= \square + \square + \square = \square$

□에 알맞은 수를 써넣으세요.

①

425×4 — $400 \times 4 =$ □, $20 \times 4 =$ □, $5 \times 4 =$ □ — □

②

106×6 — $100 \times 6 =$ □, $0 \times 6 =$ □, $6 \times 6 =$ □ — □

③

234×5 — $200 \times 5 =$ □, $30 \times 5 =$ □, $4 \times 5 =$ □ — □

④

556×7 — $500 \times 7 =$ □, $50 \times 7 =$ □, $6 \times 7 =$ □ — □

계산을 하세요.

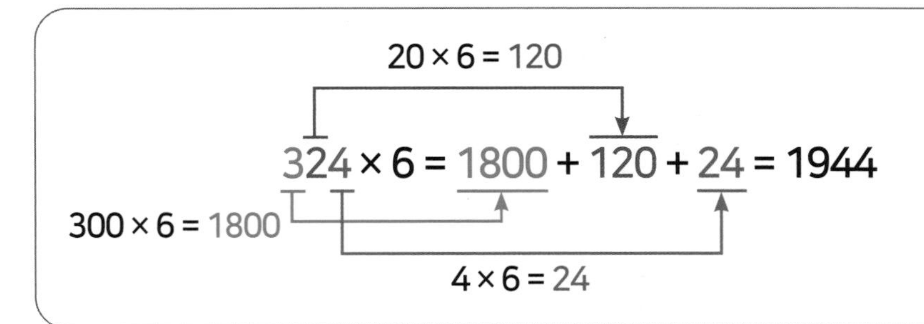

곱해지는 수 324를 300, 20, 4로 나누어 각각 곱하는 수 6을 곱한 후 세 곱을 더합니다.

① 347 × 6 =

② 235 × 8 =

③ 236 × 4 =

④ 539 × 3 =

⑤ 418 × 6 =

⑥ 194 × 7 =

⑦ 273 × 9 =

⑧ 382 × 5 =

⑨ 108 × 6 =

⑩ 346 × 8 =

⑪ 356 × 4 =

⑫ 429 × 9 =

세로셈

계산을 하세요.

	2	8	3	
×			4	
		1	2	3 × 4 = 12
	3	2	0	80 × 4 = 320
	8	0	0	200 × 4 = 800
1	1	3	2	283 × 4 = 1132

①

	3	4	6
×			7
			0
		0	0

②

	5	4	8
×			7
			0
		0	0

③

	2	6	9
×			5
			0
		0	0

④

	3	2	6
×			8
			0
		0	0

⑤

	4	4	7
×			6
			0
		0	0

⑥

	5	9	4
×			6
			0
		0	0

⑦

	3	0	9
×			4
			0
		0	0

□에 알맞은 수를 써넣으세요.

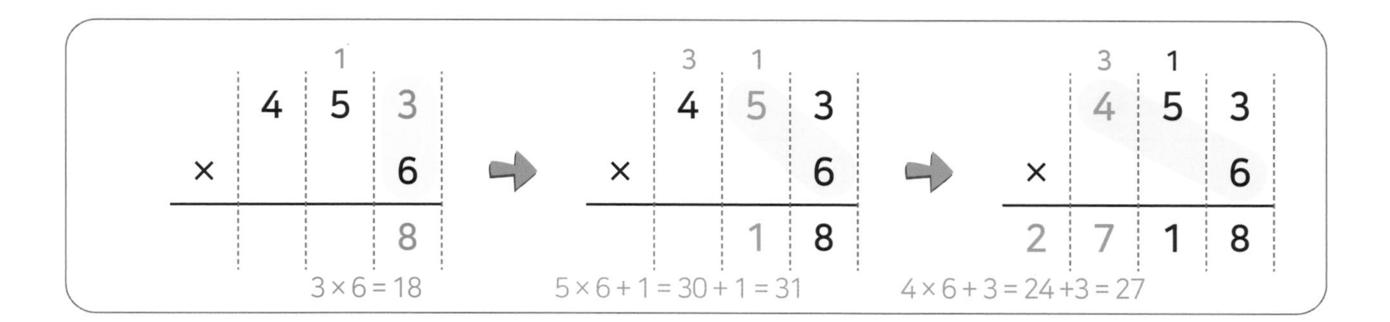

① $364 \times 6 = □□□□$

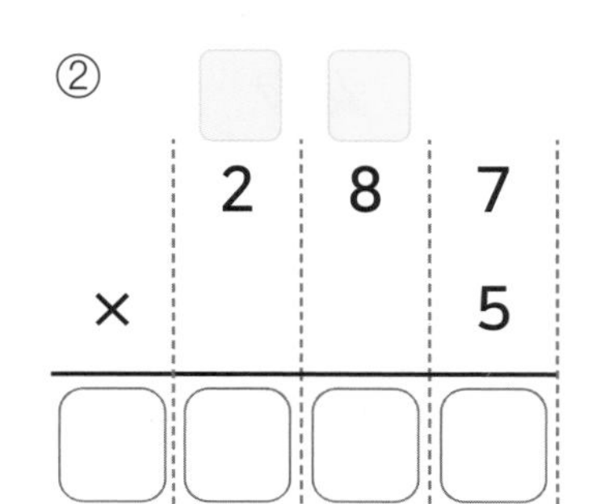

② $287 \times 5 = □□□□$

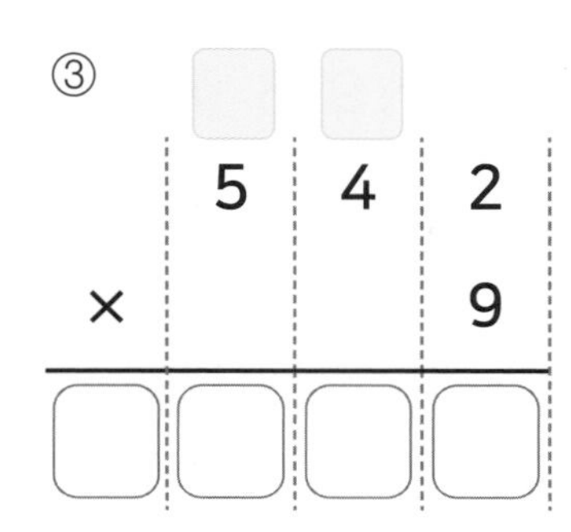

③ $542 \times 9 = □□□□$

④ $384 \times 7 = □□□□$

⑤ $789 \times 2 = □□□□$

⑥ $453 \times 8 = □□□□$

⑦ $753 \times 4 = □□□□$

⑧ $536 \times 3 = □□□□$

⑨ $869 \times 3 = □□□□$

계산을 하세요.

① $\begin{array}{r} 374 \\ \times \quad 3 \\ \hline \end{array}$

② $\begin{array}{r} 284 \\ \times \quad 8 \\ \hline \end{array}$

③ $\begin{array}{r} 268 \\ \times \quad 4 \\ \hline \end{array}$

④ $\begin{array}{r} 987 \\ \times \quad 6 \\ \hline \end{array}$

⑤ $\begin{array}{r} 426 \\ \times \quad 7 \\ \hline \end{array}$

⑥ $\begin{array}{r} 353 \\ \times \quad 4 \\ \hline \end{array}$

⑦ $\begin{array}{r} 289 \\ \times \quad 9 \\ \hline \end{array}$

⑧ $\begin{array}{r} 627 \\ \times \quad 5 \\ \hline \end{array}$

⑨ $\begin{array}{r} 469 \\ \times \quad 3 \\ \hline \end{array}$

⑩ $\begin{array}{r} 583 \\ \times \quad 7 \\ \hline \end{array}$

⑪ $\begin{array}{r} 167 \\ \times \quad 9 \\ \hline \end{array}$

⑫ $\begin{array}{r} 357 \\ \times \quad 3 \\ \hline \end{array}$

연산 퍼즐

공부한 날 월 일

□에 두 수의 곱을 써넣으세요.

① 197, □, 6

② 486, □, 4

③ 567, □, 7

④ 796, □, 2

⑤ 259, □, 5

⑥ 578, □, 4

⑦ 936, □, 3

⑧ 217, □, 9

⑨ 429, □, 8

계산 결과가 작은 순서대로 숫자를 나열하세요.

1
$$\begin{array}{r} 354 \\ \times \quad 7 \\ \hline \end{array}$$

2
$$\begin{array}{r} 268 \\ \times \quad 9 \\ \hline \end{array}$$

3
$$\begin{array}{r} 673 \\ \times \quad 4 \\ \hline \end{array}$$

4
$$\begin{array}{r} 867 \\ \times \quad 9 \\ \hline \end{array}$$

□ □ □ □

1
$$\begin{array}{r} 683 \\ \times \quad 6 \\ \hline \end{array}$$

2
$$\begin{array}{r} 479 \\ \times \quad 9 \\ \hline \end{array}$$

3
$$\begin{array}{r} 933 \\ \times \quad 4 \\ \hline \end{array}$$

4
$$\begin{array}{r} 766 \\ \times \quad 5 \\ \hline \end{array}$$

□ □ □ □

1
$$\begin{array}{r} 318 \\ \times \quad 3 \\ \hline \end{array}$$

2
$$\begin{array}{r} 254 \\ \times \quad 5 \\ \hline \end{array}$$

3
$$\begin{array}{r} 479 \\ \times \quad 2 \\ \hline \end{array}$$

4
$$\begin{array}{r} 289 \\ \times \quad 4 \\ \hline \end{array}$$

□ □ □ □

빈 곳에 알맞은 수를 써넣으세요.

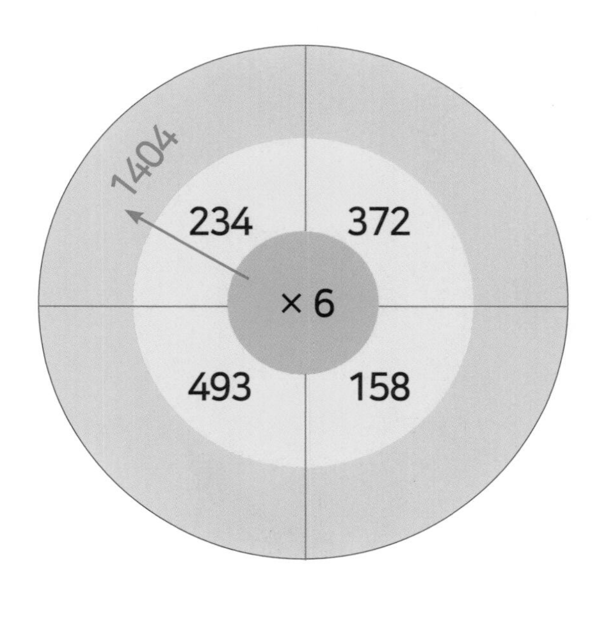

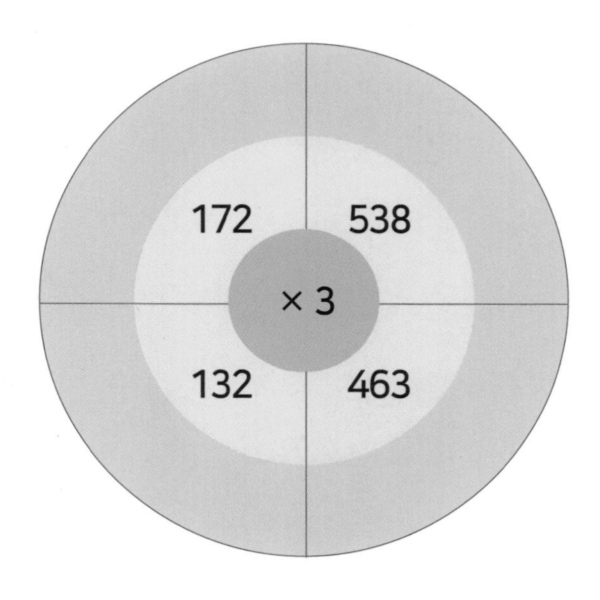

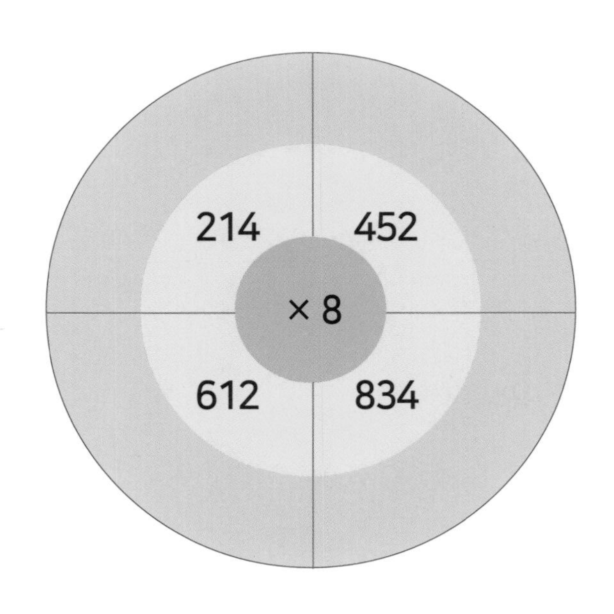

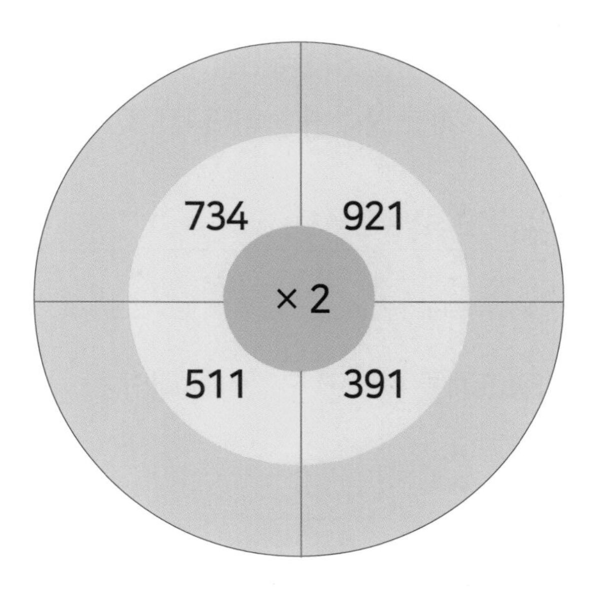

문장제

글과 그림을 보고 물음에 알맞은 식을 세우고 답을 구하세요.

진영이는 어머님 심부름으로 채소를 사기 위해 채소 가게에 들렀습니다.

★ 오이 3개를 산다면 진영이가 내야 할 금액은 얼마일까요?

식 : $332 \times 3 = 996$ 답 : 996 원

① 양파 6개를 산다면 진영이가 내야 할 금액은 얼마일까요?

식 : ______________ 답 : ________ 원

② 당근 4개를 산다면 진영이가 내야 할 금액은 얼마일까요?

식 : ______________ 답 : ________ 원

문제를 읽고 알맞은 식과 답을 써 보세요.

① 지수는 등산 도중 약수터에서 정상까지 434 m가 남았다고 적힌 안내문을 보았습니다. 약수터에서 정상까지 갔다가 같은 길로 다시 약수터로 돌아오려면 몇 m를 걸어야 할까요?

식 : ____________________ 답 : __________ m

② 성화는 매일 하루에 한 잔씩 우유를 마셨습니다. 1년이 365일이라면 3년간 성화가 마신 우유는 모두 몇 잔일까요?

식 : ____________________ 답 : __________ 잔

③ 철새들이 일렬로 줄을 서 이동하는데 한 무리에 231마리씩 모두 세 무리가 있습니다. 무리를 지어 이동한 철새는 모두 몇 마리일까요?

식 : ____________________ 답 : __________ 마리

④ 철희네 할아버지 댁에 있는 농장에는 314마리의 오리를 키우고 있습니다. 농장에 있는 오리의 다리 수는 모두 몇 개일까요?

식 : ____________________ 답 : __________ 개

문제를 읽고 알맞은 식과 답을 써 보세요.

① 길이가 123 cm인 쇠막대 3개를 한 줄로 이어 놓으면 모두 몇 cm가 될까요?

식 : ____________________ 답 : __________ cm

② 농구팀 128개 팀이 대회에 참가했습니다. 한 팀 당 7명의 선수가 있다면 대회에 참가한 농구 선수는 모두 몇 명일까요?

식 : ____________________ 답 : __________ 명

③ 거문고가 118개 있습니다. 거문고 한 개에 6개의 줄이 있다면 거문고에 있는 줄은 모두 몇 개일까요?

식 : ____________________ 답 : __________ 개

④ 상자 한 개에 지우개가 258개씩 들어 있습니다. 상자 4개에 들어 있는 지우개는 모두 몇 개일까요?

식 : ____________________ 답 : __________ 개

6주차

도전! 계산왕

(세 자리 수)×(한 자리 수)

계산을 하세요.

① $\begin{array}{r} 910 \\ \times \quad 6 \\ \hline \end{array}$

② $\begin{array}{r} 803 \\ \times \quad 7 \\ \hline \end{array}$

③ $\begin{array}{r} 471 \\ \times \quad 3 \\ \hline \end{array}$

④ $\begin{array}{r} 647 \\ \times \quad 8 \\ \hline \end{array}$

⑤ $\begin{array}{r} 659 \\ \times \quad 7 \\ \hline \end{array}$

⑥ $\begin{array}{r} 819 \\ \times \quad 8 \\ \hline \end{array}$

⑦ $\begin{array}{r} 410 \\ \times \quad 6 \\ \hline \end{array}$

⑧ $\begin{array}{r} 547 \\ \times \quad 4 \\ \hline \end{array}$

⑨ $\begin{array}{r} 643 \\ \times \quad 9 \\ \hline \end{array}$

⑩ $980 \times 6 =$

⑪ $399 \times 4 =$

⑫ $875 \times 9 =$

⑬ $443 \times 6 =$

⑭ $394 \times 7 =$

⑮ $588 \times 6 =$

(세 자리 수)×(한 자리 수)

공부한 날	월 일
점수	/15

계산을 하세요.

① $\begin{array}{r} 851 \\ \times \quad 9 \\ \hline \end{array}$

② $\begin{array}{r} 746 \\ \times \quad 2 \\ \hline \end{array}$

③ $\begin{array}{r} 678 \\ \times \quad 8 \\ \hline \end{array}$

④ $\begin{array}{r} 585 \\ \times \quad 9 \\ \hline \end{array}$

⑤ $\begin{array}{r} 464 \\ \times \quad 4 \\ \hline \end{array}$

⑥ $\begin{array}{r} 724 \\ \times \quad 7 \\ \hline \end{array}$

⑦ $\begin{array}{r} 776 \\ \times \quad 4 \\ \hline \end{array}$

⑧ $\begin{array}{r} 386 \\ \times \quad 7 \\ \hline \end{array}$

⑨ $\begin{array}{r} 450 \\ \times \quad 8 \\ \hline \end{array}$

⑩ $197 \times 6 =$

⑪ $733 \times 9 =$

⑫ $425 \times 8 =$

⑬ $565 \times 3 =$

⑭ $840 \times 4 =$

⑮ $809 \times 5 =$

(세 자리 수)×(한 자리 수)

계산을 하세요.

① $\begin{array}{r} 315 \\ \times \quad 8 \\ \hline \end{array}$

② $\begin{array}{r} 183 \\ \times \quad 3 \\ \hline \end{array}$

③ $\begin{array}{r} 354 \\ \times \quad 3 \\ \hline \end{array}$

④ $\begin{array}{r} 563 \\ \times \quad 4 \\ \hline \end{array}$

⑤ $\begin{array}{r} 676 \\ \times \quad 6 \\ \hline \end{array}$

⑥ $\begin{array}{r} 594 \\ \times \quad 4 \\ \hline \end{array}$

⑦ $\begin{array}{r} 483 \\ \times \quad 8 \\ \hline \end{array}$

⑧ $\begin{array}{r} 962 \\ \times \quad 8 \\ \hline \end{array}$

⑨ $\begin{array}{r} 893 \\ \times \quad 9 \\ \hline \end{array}$

⑩ $186 \times 4 =$

⑪ $171 \times 9 =$

⑫ $337 \times 2 =$

⑬ $340 \times 9 =$

⑭ $741 \times 2 =$

⑮ $964 \times 6 =$

2일 ❷

(세 자리 수)×(한 자리 수)

공부한 날	월 일
점수	/15

계산을 하세요.

① $\begin{array}{r} 137 \\ \times \quad 5 \\ \hline \end{array}$

② $\begin{array}{r} 320 \\ \times \quad 3 \\ \hline \end{array}$

③ $\begin{array}{r} 960 \\ \times \quad 3 \\ \hline \end{array}$

④ $\begin{array}{r} 904 \\ \times \quad 2 \\ \hline \end{array}$

⑤ $\begin{array}{r} 944 \\ \times \quad 6 \\ \hline \end{array}$

⑥ $\begin{array}{r} 604 \\ \times \quad 7 \\ \hline \end{array}$

⑦ $\begin{array}{r} 883 \\ \times \quad 3 \\ \hline \end{array}$

⑧ $\begin{array}{r} 675 \\ \times \quad 4 \\ \hline \end{array}$

⑨ $\begin{array}{r} 739 \\ \times \quad 2 \\ \hline \end{array}$

⑩ $106 \times 9 =$

⑪ $549 \times 2 =$

⑫ $905 \times 6 =$

⑬ $313 \times 6 =$

⑭ $111 \times 3 =$

⑮ $398 \times 4 =$

(세 자리 수)×(한 자리 수)

계산을 하세요.

① $\begin{array}{r} 743 \\ \times \quad 7 \\ \hline \end{array}$

② $\begin{array}{r} 441 \\ \times \quad 9 \\ \hline \end{array}$

③ $\begin{array}{r} 657 \\ \times \quad 2 \\ \hline \end{array}$

④ $\begin{array}{r} 297 \\ \times \quad 3 \\ \hline \end{array}$

⑤ $\begin{array}{r} 500 \\ \times \quad 3 \\ \hline \end{array}$

⑥ $\begin{array}{r} 632 \\ \times \quad 2 \\ \hline \end{array}$

⑦ $\begin{array}{r} 312 \\ \times \quad 4 \\ \hline \end{array}$

⑧ $\begin{array}{r} 145 \\ \times \quad 5 \\ \hline \end{array}$

⑨ $\begin{array}{r} 770 \\ \times \quad 3 \\ \hline \end{array}$

⑩ $316 \times 9 =$

⑪ $417 \times 7 =$

⑫ $858 \times 9 =$

⑬ $801 \times 3 =$

⑭ $665 \times 4 =$

⑮ $886 \times 2 =$

(세 자리 수)×(한 자리 수)

공부한 날 월 일
점수 /15

계산을 하세요.

① 119×6

② 422×3

③ 507×2

④ 857×4

⑤ 178×6

⑥ 945×6

⑦ 948×3

⑧ 383×5

⑨ 253×9

⑩ $565 \times 3 =$

⑪ $742 \times 5 =$

⑫ $864 \times 5 =$

⑬ $243 \times 7 =$

⑭ $964 \times 9 =$

⑮ $457 \times 2 =$

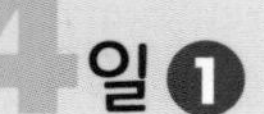

(세 자리 수)×(한 자리 수)

계산을 하세요.

① $\begin{array}{r} 669 \\ \times \quad 2 \\ \hline \end{array}$

② $\begin{array}{r} 395 \\ \times \quad 7 \\ \hline \end{array}$

③ $\begin{array}{r} 464 \\ \times \quad 2 \\ \hline \end{array}$

④ $\begin{array}{r} 762 \\ \times \quad 8 \\ \hline \end{array}$

⑤ $\begin{array}{r} 982 \\ \times \quad 7 \\ \hline \end{array}$

⑥ $\begin{array}{r} 854 \\ \times \quad 9 \\ \hline \end{array}$

⑦ $\begin{array}{r} 626 \\ \times \quad 5 \\ \hline \end{array}$

⑧ $\begin{array}{r} 126 \\ \times \quad 3 \\ \hline \end{array}$

⑨ $\begin{array}{r} 879 \\ \times \quad 7 \\ \hline \end{array}$

⑩ $536 \times 7 =$

⑪ $574 \times 3 =$

⑫ $766 \times 6 =$

⑬ $447 \times 4 =$

⑭ $622 \times 5 =$

⑮ $325 \times 4 =$

(세 자리 수)×(한 자리 수)

공부한 날	월 일
점수	/15

계산을 하세요.

① $\begin{array}{r} 644 \\ \times \quad 6 \\ \hline \end{array}$

② $\begin{array}{r} 281 \\ \times \quad 7 \\ \hline \end{array}$

③ $\begin{array}{r} 208 \\ \times \quad 9 \\ \hline \end{array}$

④ $\begin{array}{r} 531 \\ \times \quad 6 \\ \hline \end{array}$

⑤ $\begin{array}{r} 170 \\ \times \quad 7 \\ \hline \end{array}$

⑥ $\begin{array}{r} 738 \\ \times \quad 7 \\ \hline \end{array}$

⑦ $\begin{array}{r} 523 \\ \times \quad 4 \\ \hline \end{array}$

⑧ $\begin{array}{r} 467 \\ \times \quad 7 \\ \hline \end{array}$

⑨ $\begin{array}{r} 266 \\ \times \quad 7 \\ \hline \end{array}$

⑩ $368 \times 9 =$

⑪ $871 \times 5 =$

⑫ $281 \times 5 =$

⑬ $617 \times 5 =$

⑭ $673 \times 4 =$

⑮ $242 \times 6 =$

(세 자리 수)×(한 자리 수)

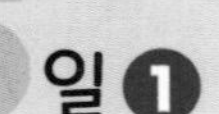
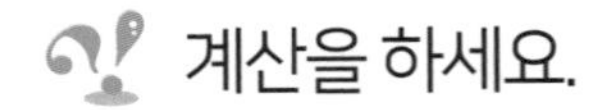

공부한 날	월 일
점수	/15

계산을 하세요.

① $\begin{array}{r} 349 \\ \times \quad 9 \\ \hline \end{array}$

② $\begin{array}{r} 657 \\ \times \quad 6 \\ \hline \end{array}$

③ $\begin{array}{r} 660 \\ \times \quad 2 \\ \hline \end{array}$

④ $\begin{array}{r} 212 \\ \times \quad 4 \\ \hline \end{array}$

⑤ $\begin{array}{r} 572 \\ \times \quad 5 \\ \hline \end{array}$

⑥ $\begin{array}{r} 618 \\ \times \quad 8 \\ \hline \end{array}$

⑦ $\begin{array}{r} 445 \\ \times \quad 7 \\ \hline \end{array}$

⑧ $\begin{array}{r} 561 \\ \times \quad 9 \\ \hline \end{array}$

⑨ $\begin{array}{r} 629 \\ \times \quad 4 \\ \hline \end{array}$

⑩ $885 \times 8 =$

⑪ $500 \times 7 =$

⑫ $773 \times 9 =$

⑬ $273 \times 4 =$

⑭ $719 \times 4 =$

⑮ $270 \times 5 =$

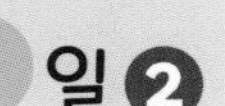

(세 자리 수)×(한 자리 수)

공부한 날	월 일
점수	/15

계산을 하세요.

① $\begin{array}{r} 455 \\ \times \quad 4 \\ \hline \end{array}$

② $\begin{array}{r} 953 \\ \times \quad 8 \\ \hline \end{array}$

③ $\begin{array}{r} 901 \\ \times \quad 2 \\ \hline \end{array}$

④ $\begin{array}{r} 407 \\ \times \quad 9 \\ \hline \end{array}$

⑤ $\begin{array}{r} 519 \\ \times \quad 6 \\ \hline \end{array}$

⑥ $\begin{array}{r} 605 \\ \times \quad 3 \\ \hline \end{array}$

⑦ $\begin{array}{r} 410 \\ \times \quad 7 \\ \hline \end{array}$

⑧ $\begin{array}{r} 113 \\ \times \quad 7 \\ \hline \end{array}$

⑨ $\begin{array}{r} 931 \\ \times \quad 5 \\ \hline \end{array}$

⑩ $349 \times 7 =$

⑪ $827 \times 8 =$

⑫ $981 \times 6 =$

⑬ $168 \times 7 =$

⑭ $245 \times 2 =$

⑮ $322 \times 7 =$

MEMO

 1000math.com 

홈페이지

· 천종현수학연구소 소개 및 학습 자료 공유
· 출판 교재, 연구소 굿즈 구입

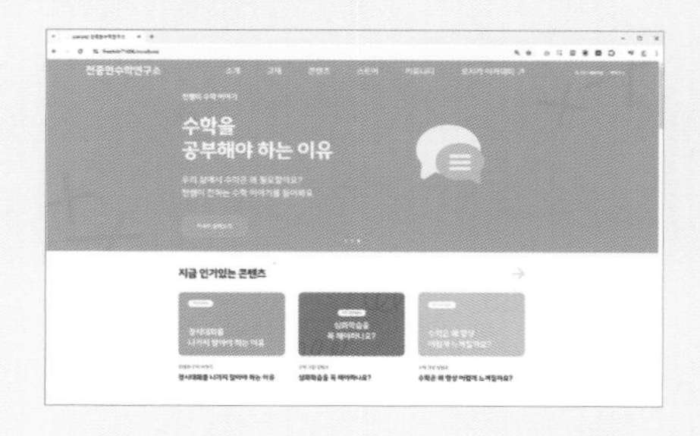

 cafe.naver.com/maths1000 

네이버카페

· 다양한 이벤트 및 '천쌤수학학습단' 진행
· 학습 상담 게시판 운영

 https://www.instagram.com/1000maths 

인스타그램

· 수학고민상담소 '천쌤에게 물어보셈' 릴스 보기
· 가장 빠르게 만나는 연구소 소식 및 이벤트

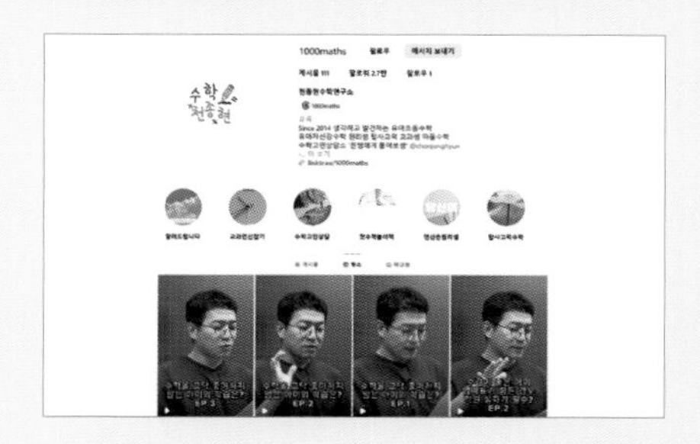

 https://www.youtube.com/@1000math4U 

유튜브

· 인스타 라이브방송 '천쌤에게 물어보셈' 다시 보기
· 고민 상담 사례 및 수학교육 기획 콘텐츠

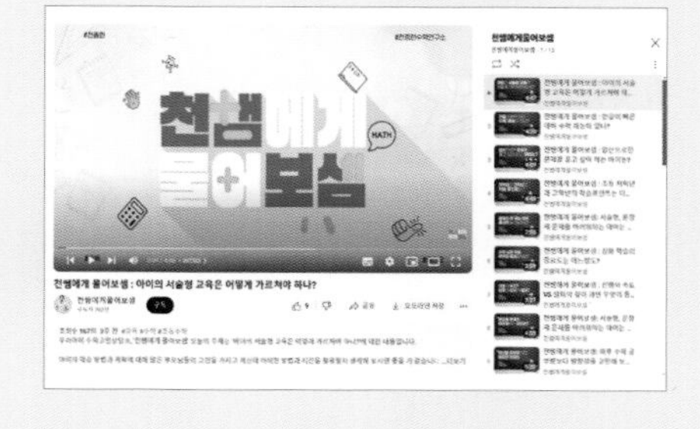

천종현수학연구소는
유아 초등 수학 교재와 **콘텐츠**를 꾸준히 **개발**하고 있습니다. 네이버에 '**천종현수학연구소**'를 검색하시거나 **인스타그램**, **유튜브** 등 다양한 채널을 통해서도 **연산**과 **사고력 수학**, **교과 심화 학습**에 대한 **노하우**와 **정보**를 다양하게 제공합니다. 지금 바로 만나보세요.

SINCE **2014**

천종현수학연구소 출판 교재

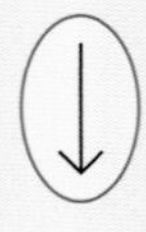

01
유아 자신감 수학

썼다 지웠다 붙였다 뗐다
우리 아이의 첫 수학 교재

02
TOP 사고력 수학

실력도 탑! 재미도 탑!
사고력 수학의 으뜸

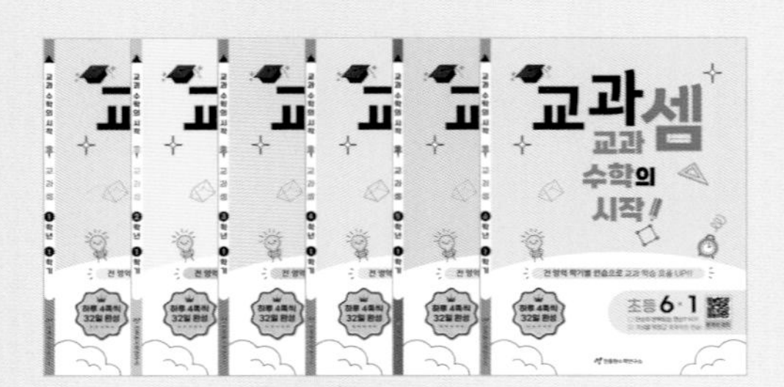

03
교과셈

사칙연산+도형, 측정, 경우의 수까지
반복 학습이 필요한 초등 연산 완성

04
따풀 수학

다양한 개념과 해결 방법을 배우는
배움이 있는 학습지

05
초등 사고력 수학의 원리/전략

진정한 수학 실력은 원리의 이해와 문제 해결 전략에서
재미있게 읽는 17년 초등 사고력 수학의 노하우!!

교과 과정
완벽 대비

원리셈

천종현 지음

3학년 2

(두/세 자리 수)×(한 자리 수)

천종현수학연구소

1주차 - 올림이 없거나 한 번 있는 곱셈

10쪽

① 90
3, 90

② 160
4, 160

③ 80
4, 80

④ 140
2, 140

⑤ 80
2, 80

11쪽

① 90
3, 90

② 160
4, 160

③ 210
3, 210

④ 320
4, 320

⑤ 180
2, 180

⑥ 200
4, 200

⑦ 360
6, 360

⑧ 140
7, 140

⑨ 240
8, 240

12쪽

① 80 ② 240

③ 120 ④ 270

⑤ 40 ⑥ 480

⑦ 60 ⑧ 180

⑨ 350 ⑩ 120

⑪ 40 ⑫ 240

⑬ 150 ⑭ 280

13쪽

① 20, 1
84

② 10, 2
36

14쪽

① 40, 3
86

② 10, 1
77

③ 10, 3
39

④ 20, 3
69

⑤ 30, 4
68

⑥ 20, 1
84

15쪽

① 28 ② 88

③ 62 ④ 82

⑤ 42 ⑥ 99

⑦ 69 ⑧ 99

⑨ 48 ⑩ 84

⑪ 96 ⑫ 39

⑬ 46 ⑭ 66

16쪽

① 120, 6, 126

② 140, 8, 148

③ 120, 4, 124

17쪽

① 150
9
159

② 490
7
497

③ 180
8
188

④ 240
8
248

⑤ 120
6
126

18쪽

① 156 ② 427

③ 129 ④ 189

⑤ 128 ⑥ 166

⑦ 189 ⑧ 408

⑨ 126 ⑩ 186

⑪ 168 ⑫ 159

⑬ 246 ⑭ 208

19쪽

① 40, 24, 64

② 60, 14, 74

③ 60, 21, 81

20쪽

① 60
15
75

② 40
24
64

③ 60
27
87

④ 60
16
76

⑤ 60
36
96

⑥ 90
21
111

21쪽

① 81 ② 78
③ 60 ④ 90
⑤ 72 ⑥ 72
⑦ 72 ⑧ 84
⑨ 75 ⑩ 94
⑪ 96 ⑫ 54
⑬ 92 ⑭ 95

22쪽

① 1, 2, 9 ② 3, 5, 7 ③ 3, 2, 8
④ 2, 4, 8 ⑤ 3, 5, 5 ⑥ 1, 2, 9
⑦ 5, 6, 7 ⑧ 2, 4, 8 ⑨ 1, 8, 8

23쪽

① 2 / 8, 4 ② 2 / 8, 1 ③ 4 / 9, 0
④ 3 / 7, 6 ⑤ 2 / 8, 4 ⑥ 1 / 7, 4
⑦ 1 / 9, 8 ⑧ 3 / 8, 5 ⑨ 1 / 9, 6

24쪽

① 405 ② 76 ③ 147 ④ 81
⑤ 96 ⑥ 96 ⑦ 248 ⑧ 54
⑨ 216 ⑩ 57 ⑪ 75 ⑫ 92
⑬ 68 ⑭ 279 ⑮ 87 ⑯ 75

2주차 - 올림이 두 번 있는 곱셈

26쪽

① 120, 15, 135
② 140, 16, 156
③ 160, 12, 172

27쪽

① 200 / 32 / 232
② 100 / 35 / 135
③ 80 / 72 / 152
④ 160 / 32 / 192
⑤ 180 / 21 / 201
⑥ 180 / 36 / 216

28쪽

① 204 ② 204
③ 360 ④ 162
⑤ 222 ⑥ 144
⑦ 115 ⑧ 584
⑨ 264 ⑩ 156
⑪ 212 ⑫ 245
⑬ 232 ⑭ 602

29쪽

① 3 / 2, 1, 0 ② 2 / 1, 4, 4 ③ 5 / 3, 2, 4
④ 1 / 1, 3, 5 ⑤ 3 / 1, 3, 5 ⑥ 3 / 1, 5, 6
⑦ 1 / 1, 9, 5 ⑧ 2 / 2, 6, 4 ⑨ 2 / 6, 5, 1

30쪽

① 1 / 2, 1, 2 ② 1 / 1, 7, 4 ③ 2 / 5, 1, 8
④ 5 / 5, 0, 4 ⑤ 3 / 1, 5, 2 ⑥ 2 / 9, 8
⑦ 6 / 7, 0, 4 ⑧ 2 / 1, 4, 0 ⑨ 4 / 5, 8, 5
⑩ 3 / 1, 5, 6 ⑪ 5 / 2, 3, 4 ⑫ 6, 3, 9

31쪽

① 252 ② 385 ③ 384 ④ 296
⑤ 162 ⑥ 265 ⑦ 420 ⑧ 345
⑨ 152 ⑩ 351 ⑪ 104 ⑫ 432
⑬ 228 ⑭ 132 ⑮ 378 ⑯ 672

32쪽

① 9, 3 ② 1 / 5, 4 ③ 4, 9, 0
④ 4 / 1, 1, 9 ⑤ 2 / 5, 0, 4 ⑥ 4 / 5, 8, 2
⑦ 1 / 1, 9, 8 ⑧ 2 / 1, 4, 8 ⑨ 5 / 3, 3, 6
⑩ 2 / 3, 2, 4 ⑪ 2 / 6, 5, 7 ⑫ 2, 4, 6

33쪽

① 1 / 7, 6 ② 2 / 1, 4, 4 ③ 3 / 2, 7, 0
④ 2 / 1, 4, 8 ⑤ 2 / 4, 7, 7 ⑥ 5, 6, 0
⑦ 2 / 1, 8, 4 ⑧ 2 / 3, 7, 1 ⑨ 4 / 4, 6, 2
⑩ 2 / 3, 8, 8 ⑪ 2 / 2, 0, 4 ⑫ 5 / 5, 4, 6

34쪽

① 216, 252, 120, 102

② 140, 138, 264, 216

③ 198, 623, 344, 135

35쪽

① 24
168

② 27
189

③ 14
112

④ 20
160

⑤ 36
180

⑥ 64
384

⑦ 45
225

⑧ 42
168

36쪽

① 140

② 90 ③ 280

④ 60 ⑤ 180

⑥ 120 ⑦ 60

⑧ 210 ⑨ 80

⑩ 100 ⑪ 140

⑫ 90 ⑬ 90

⑭ 160 ⑮ 70

37쪽

① 6, 2, 6
72

② 6, 4, 4
96

③ 9, 6, 6
324

④ 7, 4, 4
112

38쪽

① 18×8=144, 144

② 9×26=234, 234

39쪽

① 35×4=140, 140

② 22×8=176, 176

③ 36×3=108, 108

④ 78×7=546, 546

40쪽

① 48×5=240, 240

② 63×9=567, 567

③ 26×9=234, 234

④ 45×4=180, 180

3주차 - 다양한 곱셈 방법

42쪽

① 504 ② 165 ③ 378

④ 612 ⑤ 84 ⑥ 350 ⑦ 608

⑧ 170 ⑨ 520 ⑩ 216 ⑪ 315

⑫ 243 ⑬ 264 ⑭ 292 ⑮ 234

43쪽

① 300 ② 84 ③ 72 ④ 282

⑤ 192 ⑥ 483 ⑦ 468 ⑧ 135

⑨ 114 ⑩ 174 ⑪ 424 ⑫ 120

⑬ 119 ⑭ 234 ⑮ 504 ⑯ 252

44쪽

21 × 9 = 189, 16 × 8 = 128, 32 × 3 = 94, 58 × 4 = ~~240~~ 232

28 × 9 = 252, 37 × 7 = ~~249~~ 259, 25 × 3 = 75, 37 × 4 = 148

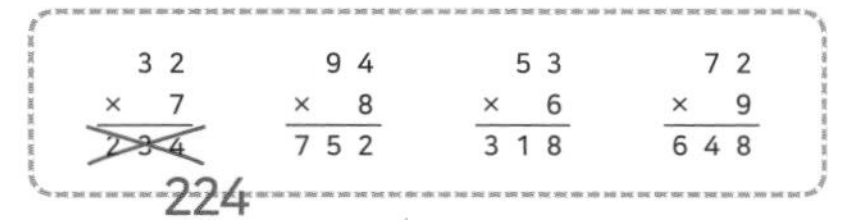

67 × 8 = 536, 76 × 7 = 532, 59 × 5 = 295, 98 × 7 = ~~682~~ 686

45쪽

① 100

② 51 ③ 201

④ 82 ⑤ 120

⑥ 315 ⑦ 280

⑧ 243 ⑨ 108

⑩ 720 ⑪ 270

⑫ 266 ⑬ 112

46쪽

① 84 ② 80

③ 360 ④ 140

⑤ 474 ⑥ 200

⑦ 126 ⑧ 128

⑨ 445 ⑩ 96

⑪ 259 ⑫ 138

⑬ 168 ⑭ 486

47쪽

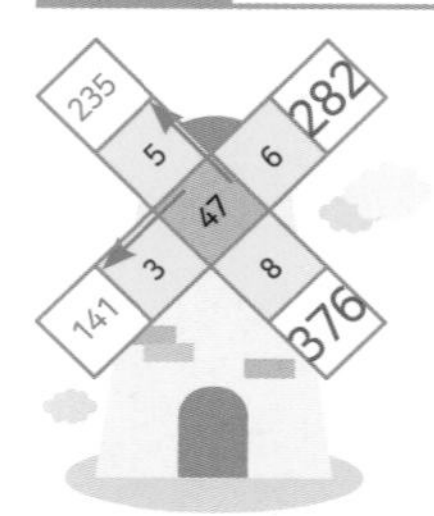

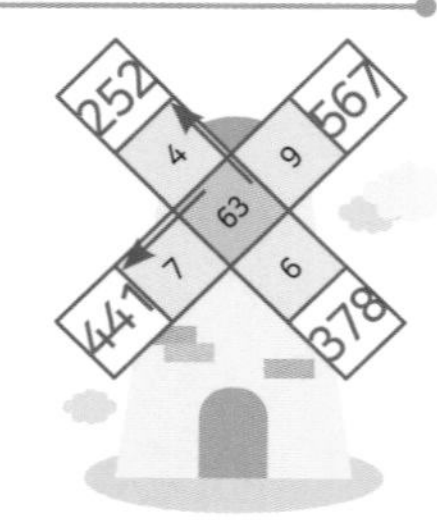

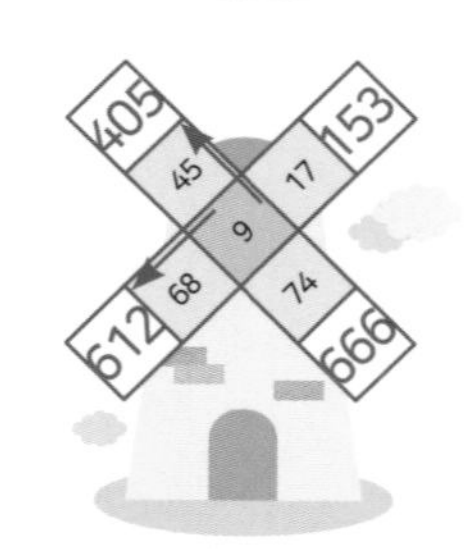

48쪽

① 230, 207

② 460, 414

③ 750, 675

④ 170, 153

⑤ 430, 387

⑥ 520, 468

49쪽

① 340, 68, 272

② 270, 54, 216

③ 160, 32, 128

④ 530, 106, 424

⑤ 380, 76, 304

⑥ 460, 92, 368

50쪽

① 333 ② 104

③ 225 ④ 600

⑤ 423 ⑥ 280

⑦ 171 ⑧ 208

⑨ 486 ⑩ 416

⑪ 558 ⑫ 352

⑬ 126 ⑭ 440

51쪽

144 432

76 584

343 252

52쪽

110 216

696 315

65 693

53쪽

126 108

112 288

128 140

54쪽

① 544

② 624 ③ 160

④ 468 ⑤ 793

55쪽

① 760 ② 838

③ 769 ④ 838

⑤ 784 ⑥ 568

56쪽

① 847

② 781 ③ 775

④ 880 ⑤ 640

4주차 - 도전! 계산왕

58쪽

① 747 ② 784 ③ 168 ④ 130

⑤ 864 ⑥ 265 ⑦ 390 ⑧ 365

⑨ 534 ⑩ 90 ⑪ 376 ⑫ 364

⑬ 160 ⑭ 240 ⑮ 140

⑯ 80 ⑰ 440 ⑱ 474

⑲ 38 ⑳ 275 ㉑ 65

59쪽

① 410 ② 240 ③ 752 ④ 108
⑤ 99 ⑥ 165 ⑦ 465 ⑧ 296
⑨ 345 ⑩ 388 ⑪ 244 ⑫ 372
⑬ 728 ⑭ 582 ⑮ 114
⑯ 600 ⑰ 300 ⑱ 312
⑲ 90 ⑳ 148 ㉑ 637

60쪽

① 144 ② 204 ③ 658 ④ 330
⑤ 702 ⑥ 133 ⑦ 162 ⑧ 322
⑨ 648 ⑩ 405 ⑪ 172 ⑫ 376
⑬ 140 ⑭ 100 ⑮ 112
⑯ 356 ⑰ 402 ⑱ 65
⑲ 243 ⑳ 264 ㉑ 420

61쪽

① 395 ② 102 ③ 162 ④ 300
⑤ 348 ⑥ 408 ⑦ 390 ⑧ 768
⑨ 592 ⑩ 594 ⑪ 400 ⑫ 340
⑬ 297 ⑭ 810 ⑮ 156
⑯ 357 ⑰ 368 ⑱ 75
⑲ 332 ⑳ 345 ㉑ 348

62쪽

① 140 ② 237 ③ 124 ④ 105
⑤ 385 ⑥ 69 ⑦ 120 ⑧ 357
⑨ 270 ⑩ 140 ⑪ 720 ⑫ 176
⑬ 280 ⑭ 51 ⑮ 360
⑯ 129 ⑰ 510 ⑱ 144
⑲ 91 ⑳ 344 ㉑ 385

63쪽

① 189 ② 237 ③ 558 ④ 96
⑤ 456 ⑥ 592 ⑦ 140 ⑧ 340
⑨ 174 ⑩ 189 ⑪ 300 ⑫ 48
⑬ 192 ⑭ 178 ⑮ 360
⑯ 87 ⑰ 159 ⑱ 252
⑲ 490 ⑳ 300 ㉑ 516

64쪽

① 130 ② 324 ③ 846 ④ 249
⑤ 300 ⑥ 819 ⑦ 180 ⑧ 186
⑨ 148 ⑩ 259 ⑪ 195 ⑫ 485
⑬ 420 ⑭ 570 ⑮ 637
⑯ 352 ⑰ 51 ⑱ 632
⑲ 387 ⑳ 792 ㉑ 392

65쪽

① 64 ② 64 ③ 744 ④ 385
⑤ 528 ⑥ 392 ⑦ 392 ⑧ 366
⑨ 380 ⑩ 846 ⑪ 102 ⑫ 180
⑬ 200 ⑭ 150 ⑮ 178
⑯ 104 ⑰ 329 ⑱ 92
⑲ 455 ⑳ 108 ㉑ 376

66쪽

① 536 ② 272 ③ 26 ④ 240
⑤ 82 ⑥ 472 ⑦ 22 ⑧ 450
⑨ 513 ⑩ 455 ⑪ 352 ⑫ 80
⑬ 192 ⑭ 783 ⑮ 300
⑯ 267 ⑰ 216 ⑱ 60
⑲ 78 ⑳ 154 ㉑ 483

67쪽

① 100 ② 195 ③ 280 ④ 294
⑤ 434 ⑥ 76 ⑦ 215 ⑧ 68
⑨ 136 ⑩ 456 ⑪ 80 ⑫ 48
⑬ 203 ⑭ 372 ⑮ 272
⑯ 585 ⑰ 145 ⑱ 70
⑲ 126 ⑳ 426 ㉑ 252

5주차 - (세 자리 수)×(한 자리 수)

70쪽

① 600, 90, 3, 693

② 200, 40, 8, 248

③ 300, 90, 9, 399

71쪽

① 800
40 848
8

② 200
60 266
6

③ 800
60 862
2

④ 900
60 963
3

72쪽

①	848	②	286
③	669	④	844
⑤	369	⑥	664
⑦	466	⑧	488
⑨	628	⑩	696
⑪	266	⑫	939
⑬	609	⑭	862

73쪽

① 1200, 180, 21, 1401

② 1000, 180, 16, 1196

74쪽

① 1600
80 1700
20

② 600
0 636
36

③ 1000
150 1170
20

④ 3500
350 3892
42

75쪽

①	2082	②	1880
③	944	④	1617
⑤	2508	⑥	1358
⑦	2457	⑧	1910
⑨	648	⑩	2768
⑪	1424	⑫	3861

76쪽

① 42
28
21
2422

② 56
28
35
3836

③ 45
30
10
1345

④ 48
16
24
2608

⑤ 42
24
24
2682

⑥ 24
54
30
3564

⑦ 36
0
12
1236

77쪽

① 3, 2
2, 1, 8, 4

② 4, 3
1, 4, 3, 5

③ 3, 1
4, 8, 7, 8

④ 5, 2
2, 6, 8, 8

⑤ 1, 1
1, 5, 7, 8

⑥ 4, 2
3, 6, 2, 4

⑦ 2, 1
3, 0, 1, 2

⑧ 1, 1
1, 6, 0, 8

⑨ 2, 2
2, 6, 0, 7

78쪽

①	1122	②	2272	③	1072
④	5922	⑤	2982	⑥	1412
⑦	2601	⑧	3135	⑨	1407
⑩	4081	⑪	1503	⑫	1071

79쪽

① 1182 ② 1944 ③ 3969

④ 1592 ⑤ 1295 ⑥ 2312

⑦ 2808 ⑧ 1953 ⑨ 3432

80쪽

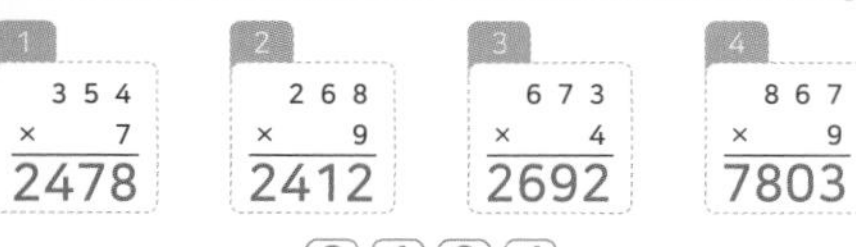

1: 354 × 7 = 2478
2: 268 × 9 = 2412
3: 673 × 4 = 2692
4: 867 × 9 = 7803

2 1 3 4

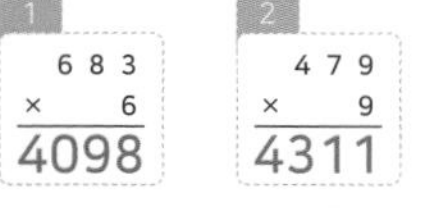

1: 683 × 6 = 4098
2: 479 × 9 = 4311
3: 933 × 4 = 3732
4: 766 × 5 = 3830

3 4 1 2

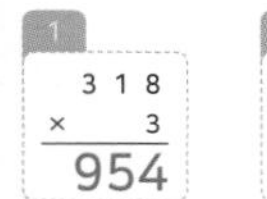

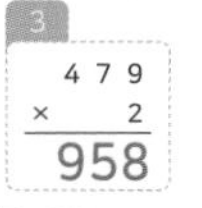

1: 318 × 3 = 954
2: 254 × 5 = 1270
3: 479 × 2 = 958
4: 289 × 4 = 1156

1 3 4 2

81쪽

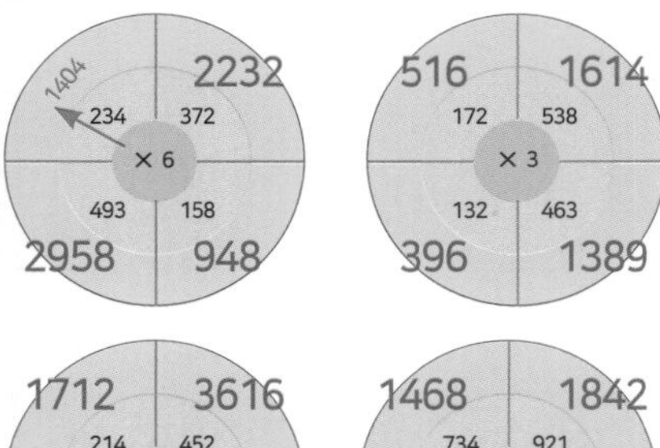

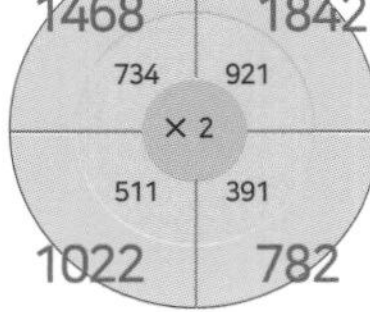

82쪽

① 432×6=2592, 2592

② 584×4=2336, 2336

83쪽

① 434×2=868, 868

② 365×3=1095, 1095

③ 231×3=693, 693

④ 314×2=628, 628

84쪽

① 123×3=369, 369

② 128×7=896, 896

③ 118×6=708, 708

④ 258×4=1032, 1032

6주차 - 도전! 계산왕

86쪽

① 5460 ② 5621 ③ 1413

④ 5176 ⑤ 4613 ⑥ 6552

⑦ 2460 ⑧ 2188 ⑨ 5787

⑩ 5880 ⑪ 1596 ⑫ 7875

⑬ 2658 ⑭ 2758 ⑮ 3528

87쪽

① 7659 ② 1492 ③ 5424

④ 5265 ⑤ 1856 ⑥ 5068

⑦ 3104 ⑧ 2702 ⑨ 3600

⑩ 1182 ⑪ 6597 ⑫ 3400

⑬ 1695 ⑭ 3360 ⑮ 4045

88쪽

① 2520 ② 549 ③ 1062

④ 2252 ⑤ 4056 ⑥ 2376

⑦ 3864 ⑧ 7696 ⑨ 8037

⑩ 744 ⑪ 1539 ⑫ 674

⑬ 3060 ⑭ 1482 ⑮ 5784

89쪽

① 685 ② 960 ③ 2880

④ 1808 ⑤ 5664 ⑥ 4228

⑦ 2649 ⑧ 2700 ⑨ 1478

⑩ 954 ⑪ 1098 ⑫ 5430

⑬ 1878 ⑭ 333 ⑮ 1592

90쪽

① 5201 ② 3969 ③ 1314
④ 891 ⑤ 1500 ⑥ 1264
⑦ 1248 ⑧ 725 ⑨ 2310
⑩ 2844 ⑪ 2919 ⑫ 7722
⑬ 2403 ⑭ 2660 ⑮ 1772

91쪽

① 714 ② 1266 ③ 1014
④ 3428 ⑤ 1068 ⑥ 5670
⑦ 2844 ⑧ 1915 ⑨ 2277
⑩ 1695 ⑪ 3710 ⑫ 4320
⑬ 1701 ⑭ 8676 ⑮ 914

92쪽

① 1338 ② 2765 ③ 928
④ 6096 ⑤ 6874 ⑥ 7686
⑦ 3130 ⑧ 378 ⑨ 6153
⑩ 3752 ⑪ 1722 ⑫ 4596
⑬ 1788 ⑭ 3110 ⑮ 1300

93쪽

① 3864 ② 1967 ③ 1872
④ 3186 ⑤ 1190 ⑥ 5166
⑦ 2092 ⑧ 3269 ⑨ 1862
⑩ 3312 ⑪ 4355 ⑫ 1405
⑬ 3085 ⑭ 2692 ⑮ 1452

94쪽

① 3141 ② 3942 ③ 1320
④ 848 ⑤ 2860 ⑥ 4944
⑦ 3115 ⑧ 5049 ⑨ 2516
⑩ 7080 ⑪ 3500 ⑫ 6957
⑬ 1092 ⑭ 2876 ⑮ 1350

95쪽

① 1820 ② 7624 ③ 1802
④ 3663 ⑤ 3114 ⑥ 1815
⑦ 2870 ⑧ 791 ⑨ 4655
⑩ 2443 ⑪ 6616 ⑫ 5886
⑬ 1176 ⑭ 490 ⑮ 2254

총괄 테스트 정답

초등 원리셈 3학년
2권 (두/세 자리 수)×(한 자리 수)

총괄 테스트

이름 점수

01 덧셈식을 곱셈식으로 나타내고 값을 구하세요.

60 + 60 + 60 + 60 = 240

➡ 60 × 4 = 240

02 빈칸에 알맞은 수를 써넣으세요.

42 × 2 = (40 × 2) + (2 × 2)

= 84

03 계산을 하세요.

① 32 × 4 = 128 ② 61 × 5 = 305

③ 26 × 3 = 78 ④ 49 × 2 = 98

04 빈칸에 알맞은 수를 써넣으세요.

① 73 × 3 = 219 ② 14 × 7 = 98 (올림 2)

05 계산을 하세요.

① 51 × 6 = 306 ② 29 × 3 = 87

06 빈칸에 알맞은 수를 써넣으세요.

34 × 6 → 30 × 6 = 180, 4 × 6 = 24 → 204

07 계산을 하세요.

① 35 × 8 = 280 ② 63 × 4 = 252

③ 45 × 7 = 315 ④ 46 × 7 = 322

08 빈칸에 알맞은 수를 써넣으세요.

① 33 × 8 = 264 (올림 2) ② 76 × 7 = 532 (올림 4)

09 계산을 하세요.

① 86 × 5 = 430 ② 27 × 4 = 108

10 계산을 하세요.

① 5 × 4 × 6 = 120 ② 7 × 4 × 6 = 168

③ 4 × 9 × 8 = 288 ④ 7 × 5 × 8 = 280

11 계산을 하세요.

① 43 × 5 = 215 ② 89 × 6 = 534

12 계산을 하세요.

① 45 × 9 = 405 ② 37 × 8 = 296

13 빈칸에 알맞은 수를 써넣으세요.

25 × 9 = (25 × 10) − 25

= 250 − 25 = 225

14 빈칸에 알맞은 수를 써넣으세요.

43 × 8 = (43 × 10) − (43 × 2)

= 430 − 86 = 344

15 계산을 하세요.

① 46 × 9 = 414 ② 26 × 8 = 208

③ 62 × 9 = 558 ④ 33 × 8 = 264

16 계산을 하세요.

① 238 × 6 = 1428 ② 354 × 8 = 2832

③ 435 × 4 = 1740 ④ 689 × 3 = 2067

17 빈칸에 알맞은 수를 써넣으세요.

① 384 × 6 = 2304 (올림 5, 2) ② 269 × 8 = 2152 (올림 5, 7)

18 빈 곳에 알맞은 수를 써넣으세요.

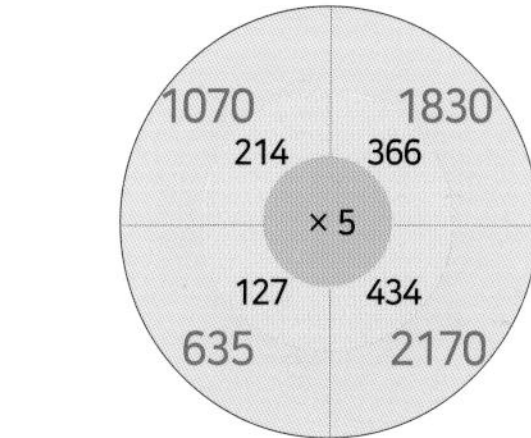

19 계산을 하세요.

① 825 × 5 = 4125 ② 369 × 3 = 1107

20 계산을 하세요.

① 158 × 9 = 1422 ② 377 × 4 = 1508

초등 | 수학 전문가가 만든 연산 교재

원리셈

원리 이해

다양한 계산 방법

충분한 연습

성취도 확인